新版

名牌学校

入学准备金方案

学前数学

孙平 主编

上海科学普及出版社

图书在版编目(CIP)数据

名牌学校入学准备金方案.学前数学 / 孙平主编.－上海:上海科学普及出版社,2015.1

ISBN 978-7-5427-6329-7

Ⅰ.①名… Ⅱ.①孙… Ⅲ.①数学课－学前教育－教学参考资料 Ⅳ.① G613

中国版本图书馆 CIP 数据核字(2014)第 301456 号

责任编辑　徐丽萍

名牌学校入学准备金方案.学前数学

孙平　主编

上海科学普及出版社出版发行

（中山北路 832 号　邮政编码 200070）

http://www.pspsh.com

各地新华书店经销　　潍坊广源印务有限公司

开本 889 × 1194　1/16　印张 9　字数 50 千字

2015 年 1 月第 1 版　　2015 年 1 月第 1 次印刷

ISBN 978-7-5427-6329-7　　定价：29.80 元

写给家长的话

亲爱的孩子的爸爸妈妈，您的孩子就要进入小学了。幼儿园升入小学是孩子迈入知识殿堂的关键一步，因此入学前进行科学、合理的启蒙教育，将成为孩子能否"赢在起跑线上"的关键。您和孩子都准备好了吗？

由于优质教育资源的有限性，很多名牌小学目前都通过入学考试来选拔生源。可以说，孩子们从入学开始就面临着各种竞争。

与此同时，除了相应的物质准备和环境准备，很多爸爸妈妈并不知道怎样帮助孩子顺利通过入学考试这一关。因此，我们精心编写了这套《名牌学校入学准备金方案》。本书内容全面，是集科学性、实用性、趣味性为一体的学前准备用书，它综合了多个版本，参考了最新教材，重视基础知识和能力的培养。在编排上充分考虑了儿童的学习习惯，难易结合，循序渐进，使孩子轻松完成入学准备，顺利升入理想小学。

本套丛书分为《学前拼音》《学前识字》《学前语文》《学前数学》《学前智力开发》《学前综合测试》6个分册。每个分册都从不同的侧面帮助孩子熟悉和了解小学一年级的基础知识和能力要求，养成良好的学习和生活习惯。

童年是开发智力的最好阶段，也是获取知识的最佳时期。希望这套书会带领您的孩子在知识的海洋中尽情遨游，帮助孩子顺利完成幼小衔接，轻松跨越成长阶梯。

目 录

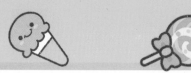

认识数字 6~10

名牌学校 入学准备金方案

认识加号和减号

❀ 把两个或两个以上的数合并成一个数的运算,叫做加法。

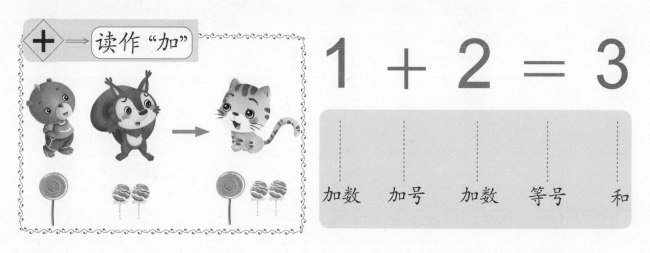

$$1 + 2 = 3$$

加数	加号	加数	等号	和

❀ 已知两个加数的和与其中一个加数,求另一个加数的运算,叫做减法。

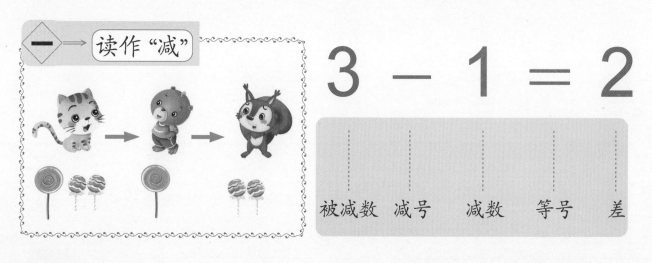

$$3 - 1 = 2$$

被减数	减号	减数	等号	差

❀ 写一写。

+								
−								

认识数字0~5

- - - - - - - - - - - - - - - - - - -

认识数字1

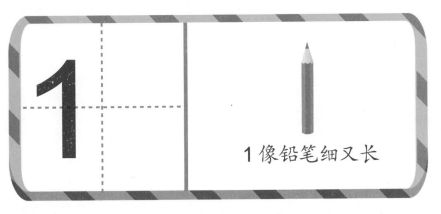

1像铅笔细又长

写一写。

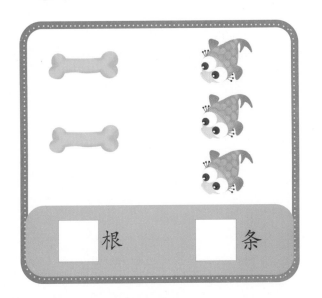

数一数，并填空。

□ 根   □ 条

圈出数量是1的花朵。

认识数字 2

2 像白鹅水中游

🐰 写一写。

2	2	2	2	2	2	2	2	2	2
2									

🐰 照样子根据数字给对应的物品涂上自己喜欢的颜色。

🐰 下面哪些物品的数量是 2 呢？请在旁边的 ◯ 里涂上颜色吧！

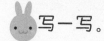

2 的分解和组合

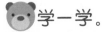 学一学。

2 可以分解成 1 和 1。

1 加 1 可以组成 2。

🐻 在 ▢ 里填上正确的数。

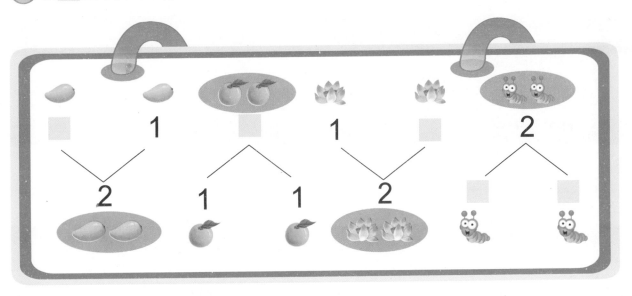

🐻 有 2 条鱼,要放在 2 个鱼缸里,请你分一分。

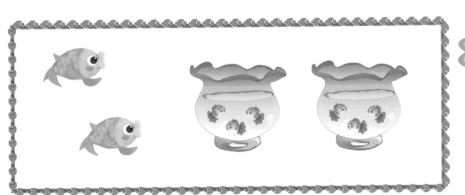

可以怎么分呢?

学前数学

2 的加减法

🐤 看图列算式。

♡ + ♡ = ♡

走了 1 只

♡ − ♡ = ♡

🐤 看图补充算式。

1 + ☐ = ☐

2 − ☐ = ☐

🐤 根据题意列算式。

1.

又摘了 1 个

小猴东东原来有 1 个桃子，妈妈又给它摘了 1 个。现在东东一共有多少个桃子？

☐ + ☐ = ☐

2.

给欢欢 1 个

小猴东东把桃子分给了小猴欢欢 1 个，请问东东还剩多少个桃子？

☐ − ☐ = ☐

认识数字3

3像耳朵听声音

🐯 写一写。

3	3	3	3	3	3	3	3	3	3
3									

🐯 3只小猫钓鱼回来了,它们各钓到多少条鱼?连一连。

🐯 请你数一数花园里有多少只蝴蝶,多少只蜜蜂。

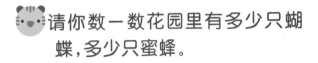

3的分解和组合

🐮 照样子，用小棒摆一摆。　　🐮 根据数字补画图形。

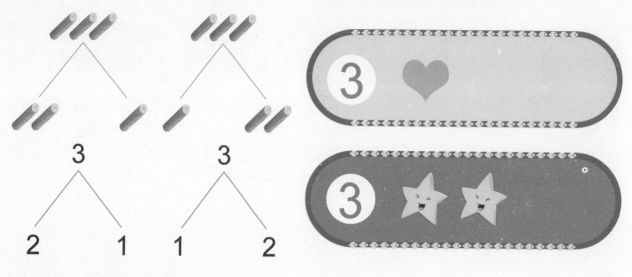

```
      3                3
     ╱ ╲              ╱ ╲
    2   1            1   2
```

🐮 在 □ 中填上合适的数字。

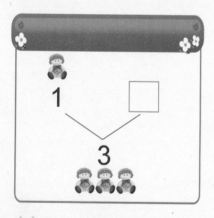 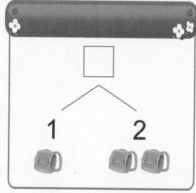 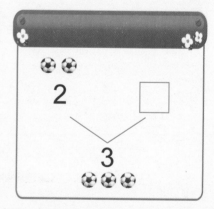

🐮 填一填。

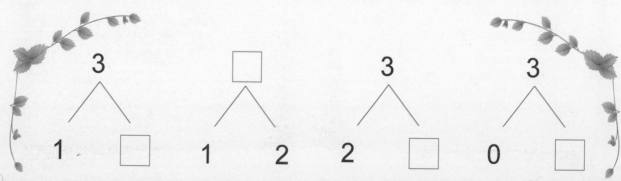

```
   3          □          3          3
  ╱ ╲        ╱ ╲        ╱ ╲        ╱ ╲
 1   □      1   2      2   □      0   □
```

3的加减法

🐶 填一填。

$2 + \square = \square$

$1 + \square = \square$

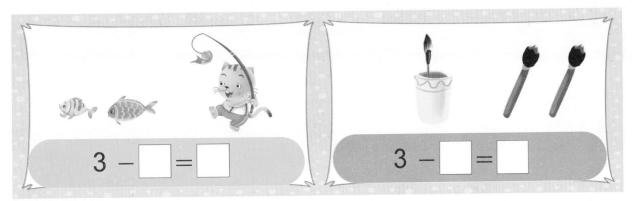

$3 - \square = \square$

$3 - \square = \square$

🐶 算一算。

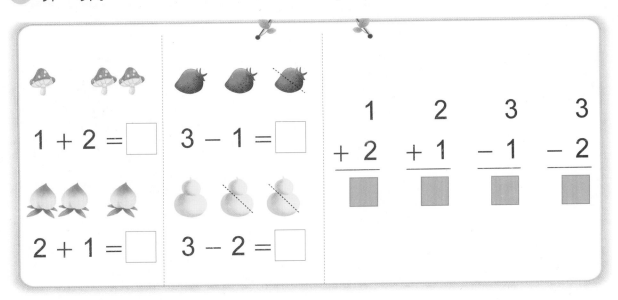

$1 + 2 = \square$

$3 - 1 = \square$

$2 + 1 = \square$

$3 - 2 = \square$

$$\begin{array}{r} 1 \\ + 2 \\ \hline \square \end{array} \quad \begin{array}{r} 2 \\ + 1 \\ \hline \square \end{array} \quad \begin{array}{r} 3 \\ - 1 \\ \hline \square \end{array} \quad \begin{array}{r} 3 \\ - 2 \\ \hline \square \end{array}$$

认识数字4

4 像小旗随风飘

 写一写。

| 4 | 4 | 4 | 4 | 4 | 4 | 4 | 4 | 4 | 4 |
| 4 | | | | | | | | | |

 下面哪些水果的数量是 4 呢？请在旁边的 ◯ 里涂色。

 小朋友，快来数一数，美丽的草原上每种动物各有多少只。

4的分解和组合

有 4 个气球，要分给两个小朋友，有几种分法？在小朋友的手中画出来。

看图填空。

4   4   4

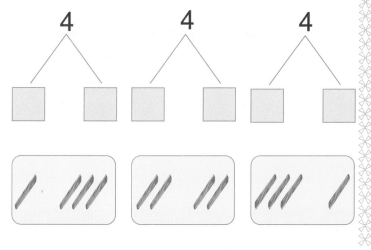

根据数字，给后面对应数量的图形涂上颜色。

① ○○○○

② □□□□

③ ◇◇◇◇

填一填。

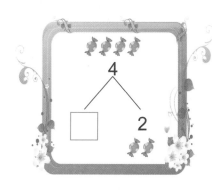
4
□ 2

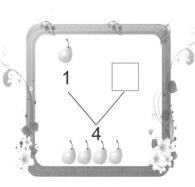
1 □
4

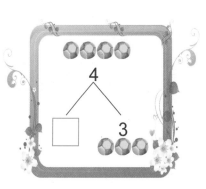
4
□ 3

4 的 加 减 法

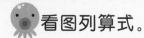 看图列算式。

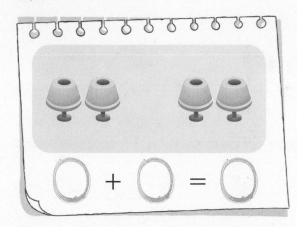

$\bigcirc + \bigcirc = \bigcirc$

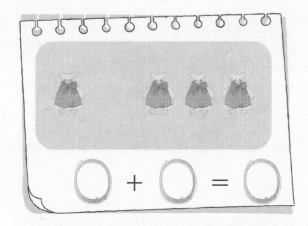

$\bigcirc + \bigcirc = \bigcirc$

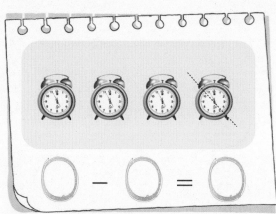

$\bigcirc - \bigcirc = \bigcirc$

$\bigcirc - \bigcirc = \bigcirc$

看图补全算式。

$2 + \boxed{} = \boxed{}$ $3 + \boxed{} = \boxed{}$ $4 - \boxed{} = \boxed{}$

认识数字5

5像秤钩来卖菜

写一写。

5 5 5 5 5 5 5 5 5 5
5 5 5 5 5 5 5 5 5 5
5

把图形与相应的数字用线连起来。

 1

 3

 5

 4

5以内的分解和组合

🐱 看图填一填。

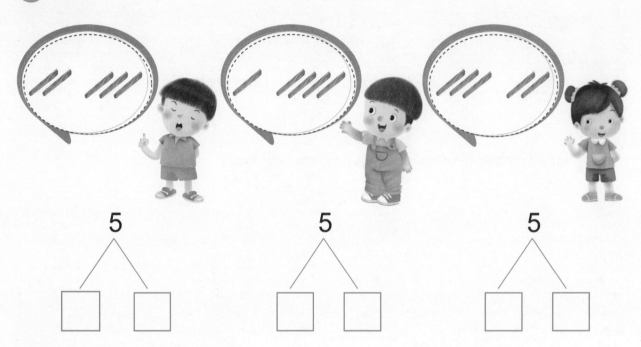

🐱 照样子画一画,填一填。

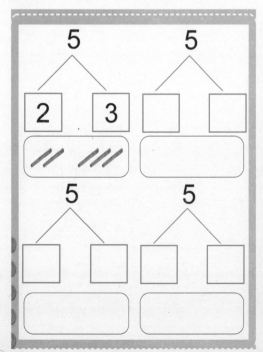

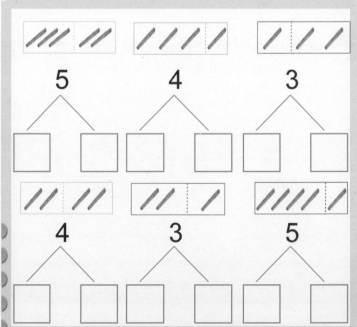

5以内的加减法

🐑 看图填一填。

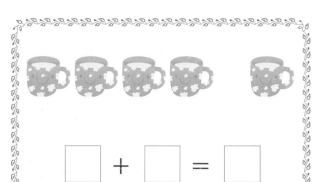

$\boxed{} + \boxed{} = \boxed{}$

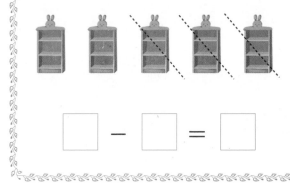

$\boxed{} - \boxed{} = \boxed{}$

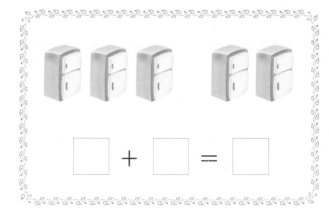

$\boxed{} + \boxed{} = \boxed{}$

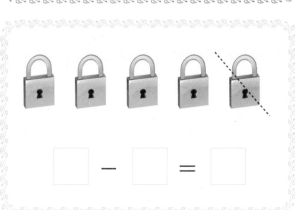

$\boxed{} - \boxed{} = \boxed{}$

🐑 请在方框里填上合适的数字,使横竖三个数相加都等于5。

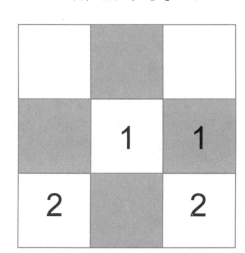

🐑 在 ✿ 中填上"＋"或"－",使算式成立。

$5 \,✿\, 3 = 2 \qquad 4 \,✿\, 1 = 5$

$5 \,✿\, 2 = 3 \qquad 5 \,✿\, 4 = 1$

$2 \,✿\, 3 = 5 \qquad 5 \,✿\, 1 = 4$

5以内的加减法练习

看图算一算，填一填。

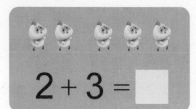

$2 + 3 = \boxed{}$

$4 + 1 = \boxed{}$

$1 + 4 = \boxed{}$

$3 - 1 = \boxed{}$

$4 - 1 = \boxed{}$

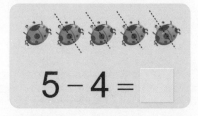

$5 - 4 = \boxed{}$

$4 - 2 = \boxed{}$

$3 + 2 = \boxed{}$

$5 - 3 = \boxed{}$

$2 + 1 = \boxed{}$

$3 + 1 = \boxed{}$

$3 - 2 = \boxed{}$

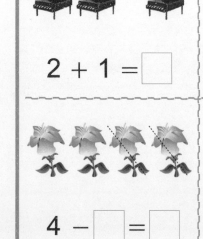

$4 - \boxed{} = \boxed{}$

$\boxed{} - 1 = \boxed{}$

$\boxed{} - 3 = \boxed{}$

学前数学

算一算,连一连,帮小动物找到自己的小房子。

$2 + 3$

$5 - 2$

$3 - 2$

$1 + 3$

$5 - 3$

3

2

5

1

4

算一算。

$3 - 2 = \square$	$1 + 2 = \square$
$5 - 1 = \square$	$4 - 1 = \square$
$2 + 2 = \square$	$3 - 1 = \square$
$5 - 3 = \square$	$3 + 2 = \square$

在  中填上"＋"或"－",使算式
成立。

$2 \bigcirc 3 = 5$ $5 \bigcirc 2 = 3$

$5 \bigcirc 3 = 2$ $1 \bigcirc 4 = 5$

$2 \bigcirc 2 = 4$ $3 \bigcirc 1 = 2$

23

5以内的综合练习

🌼 数一数,在 ☐ 里填上正确的数字。

☐   ☐   ☐

🌼 按顺序从 1 写到 5。

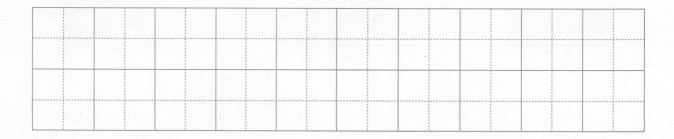

🌼 连一连。

1   2   3   4

🌼 照样子,画一画。

例:  ② ● ●

③ _____ ④ _____ ⑤ _____

🌼 看图算一算,填一填。

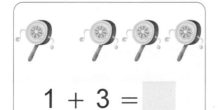
1 + 3 = ☐

2 + 3 = ☐

2 + 2 = ☐

5 − 3 = ☐

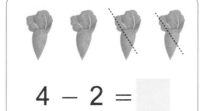
4 − 2 = ☐

3 − 1 = ☐

🌼 做张卡片,上面写上数字 1~5,做排队游戏。

按从大到小的顺序排一排:_____。

按从小到大的顺序排一排:_____。

认识数字0

0像鸡蛋是椭圆

0是一个特殊的朋友。"一个也没有"用0表示;任何数加上或减去0,还等于原来的数;0还可以表示起点。

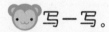 写一写。

0 0 0 0 0 0 0 0 0 0

0

 看图写出下面算式的得数。

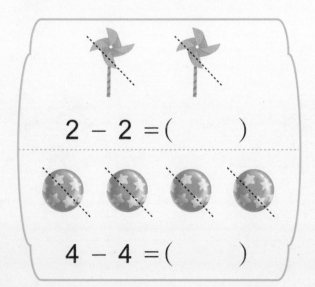

2 – 2 =(　　　)

4 – 4 =(　　　)

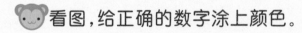 看图,给正确的数字涂上颜色。

0　5　4

0　5　3

0　5　4

0　5　1

0的加减法

🐰 学一学。

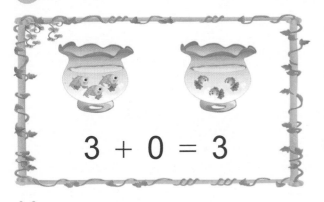

$3 + 0 = 3$

$2 - 2 = 0$

🐰 在 ☐ 里填上正确的得数。

$2 - 0 = \boxed{}$ $0 + 0 = \boxed{}$ $0 + 1 = \boxed{}$ $3 - 3 = \boxed{}$

$2 + 0 = \boxed{}$ $4 - 0 = \boxed{}$ $5 - 5 = \boxed{}$ $2 - 2 = \boxed{}$

🐰 数一数，填一填。

认识 " > " " < " 和 " = "

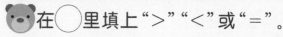 看图填空,并学一学。

在○里填上 " > " " < " 或 " = "。

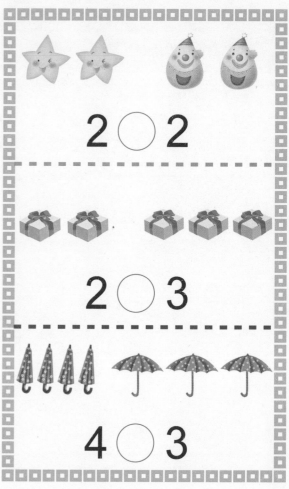

2 ○ 2

2 ○ 3

4 ○ 3

3 > 2
读作:3 大于 2

3 < 4
读作:3 小于 4

3 = 3
读作:3 等于 3

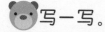 写一写。

>

<

=

比一比

大和小

比大小。

哪只大,哪只小? 给大的画"√"。

给最大的图形涂上绿色,最小的涂上红色。

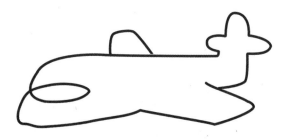

多和少

比多少。

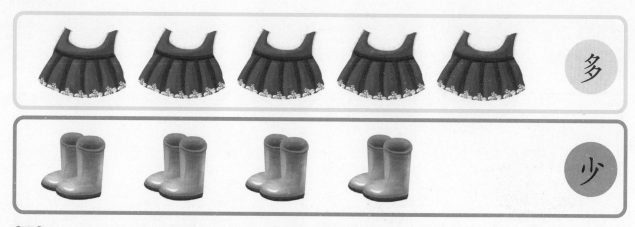

比一比下列物品的数量，请你在多的后面画"√"。

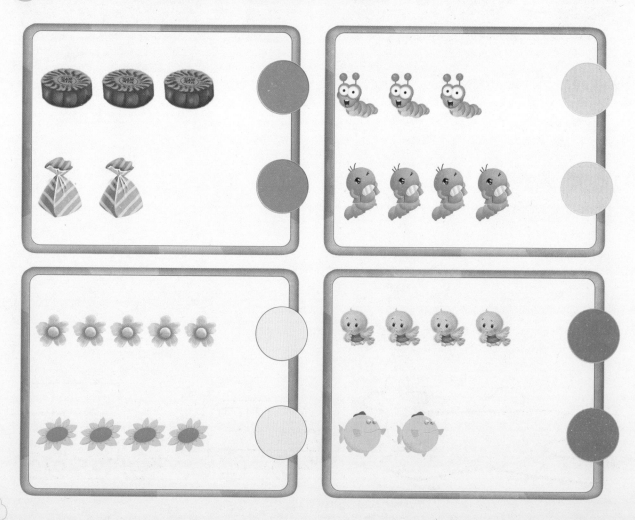

长和短

🐮 比长短。

长	长
短	短

🐮 比一比, 请你在长的方框里画 "√"。

🐮 你能帮大象、小猪和小鸭找到自己的围巾吗? 连一连。

高和矮

🐶 比高矮。

高　矮

矮　高

🐶 比一比，请你在高的下面画"√"。

🐶 想一想，小牛比公鸡高，大象比小牛高，那大象一定比公鸡高，对吗？

轻和重

 比轻重。

重　　　　轻　　　　轻　　　　重

 比一比，请你在重的下面画"✓"。

 请你说一说，哪只小动物最重，哪只小动物最轻？

比一比的综合练习

🐱 比一比，请你在多的后面画"✓"。

🐱 请你在最高的旁边画"✓"。

🐱 请你在重的下面画"✓"。

34

看图比一比，找出最高的、最小的和最重的动物。（填字母）

最高的是 [ ]   最小的是 [ ]

看图，按要求填一填。

河里有＿＿＿只动物，

岸上有＿＿＿只动物；

一共有＿＿＿只小鸭，

一共有＿＿＿只青蛙。

认识数字6~10

认识数字6

6 像哨子嘟嘟响

🌸写一写。

6	6	6	6	6	6	6	6	6	6
6									

🌸看数字，画图形。

🌸小朋友，数一数下面的图形有几条边，几个角？

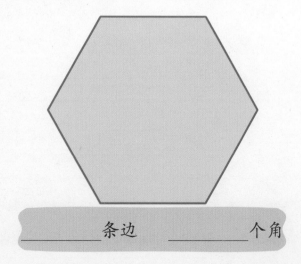

_____ 条边   _____ 个角

36

6的分解和组合

🐵 仿照下面的例子,在◯里填上正确的数字。 🐻 在☐中填上正确的数字。

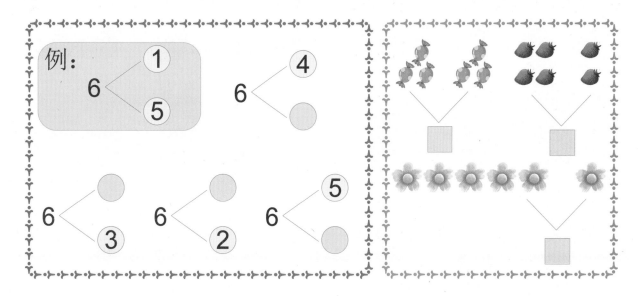

🐵 看图填一填。

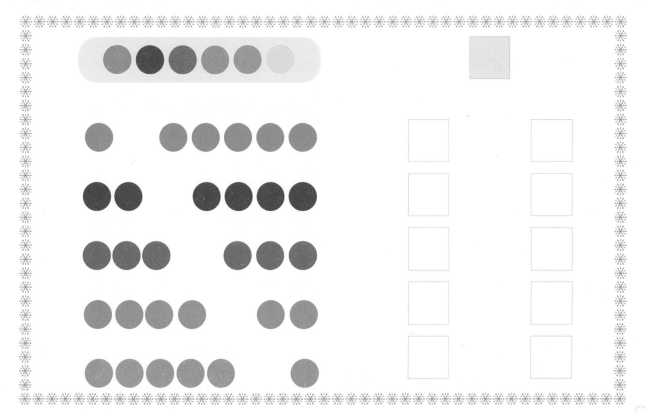

6的加法练习

🐰 看图列算式。

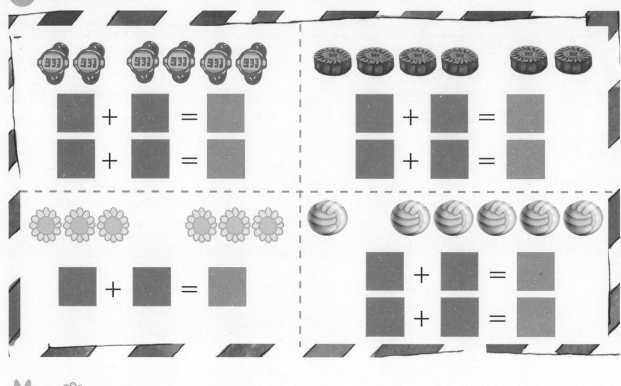

🐰 在 🌼 里填上 ">" "<" 或 "="。

6 🌼 5   4 🌼 5   4 🌼 3   2 🌼 4   5 🌼 5

🐰 数一数,涂一涂,填一填。

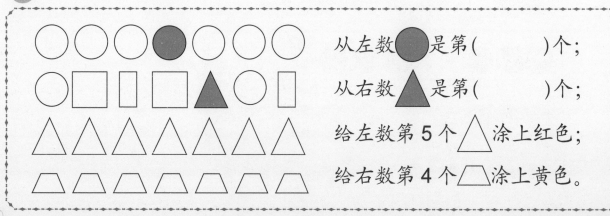

从左数 ● 是第(　　　)个;

从右数 ▲ 是第(　　　)个;

给左数第 5 个 △ 涂上红色;

给右数第 4 个 ▱ 涂上黄色。

6以内的减法练习

🐻 算一算。

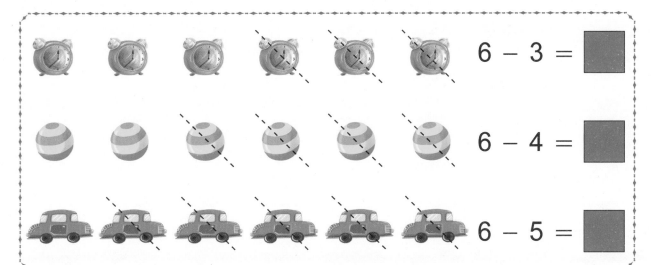

6 − 3 = ☐

6 − 4 = ☐

6 − 5 = ☐

🐻 看谁算得快。　　　🐻 看图补全算式。

3 − 2 = ◯　4 − 2 = ◯

5 − 4 = ◯　6 − 5 = ◯

6 − 4 = ◯　2 − 2 = ◯

5 − 3 = ◯　6 − 3 = ◯

3 − 3 = ◯　6 − 2 = ◯

6 − ( ) = ( )

6 − ( ) = ( )

6 − ( ) = ( )

6以内的综合练习

👶 看图填一填。

4 加 2 可以组成 6, 6 可以分成 4 和 2。

4 + 2 = 6   6 − 4 = ☐   5 + ☐ = ☐   6 − 5 = ☐

2 + 4 = ☐   6 − ☐ = 4   1 + ☐ = ☐   6 − ☐ = 5

👶 按要求画出相应数量的图形。

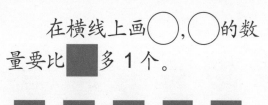

在横线上画 ◯, ◯ 的数量要比 ■ 多 1 个。

_____

在横线上画 ☐, ☐ 的数量要比 ▲ 少 2 个。

▲ ▲ ▲ ▲ ▲ ▲

_____

👶 填空。

从左往右数,小老虎排在第 3 位;从右往左数,小老虎排在第 4 位。那么,一共有(）只小动物。

填一填,看几和几能组成 6?

看图列式并计算。

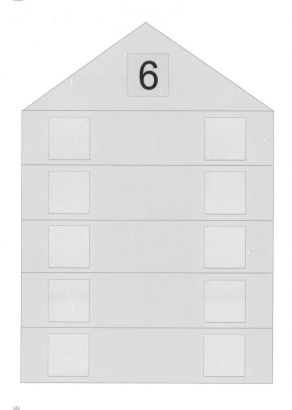

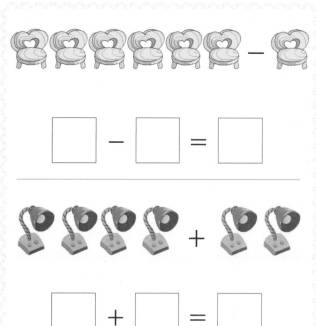

$$\boxed{} - \boxed{} = \boxed{}$$

$$\boxed{} + \boxed{} = \boxed{}$$

算一算,连一连。

| 6 − 4 | 6 − 2 | 6 − 5 | 6 − 1 |

| 2 | 1 | 5 | 4 |

认识数字7

7像镰刀割青草

🐯 写一写。

7	7	7	7	7	7	7	7	7
7								

🐯 做一做。

1. 先给玩具熊填上数字,再把从左边数第6个玩具熊圈起来。

2. 将从右边数第7个玩具熊的肚子涂上■。

7 的分解和组合

看图填一填。

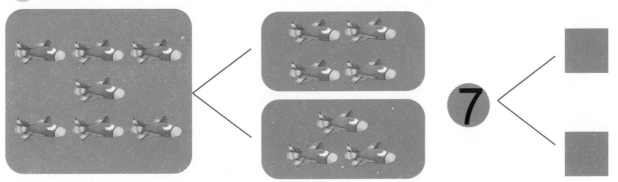

填一填,看看几和几能组成 7。

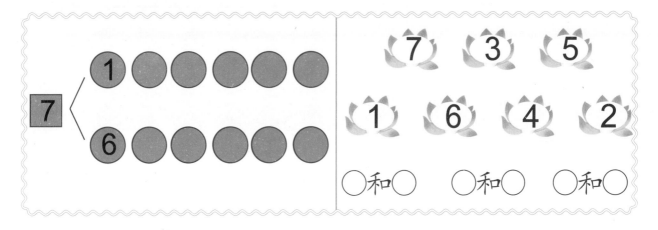

○和○　　○和○　　○和○

填空。

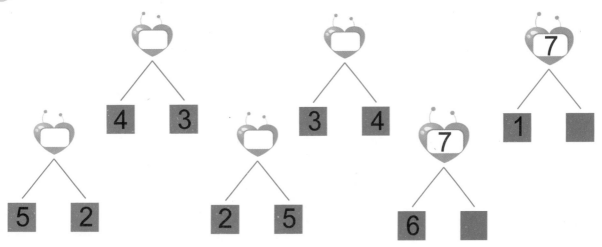

7 的加法练习

🐶 按要求画一画。

画△,比●多 4 个。

●●● _____

画△,比■多 1 个。

■■■■■■ _____

画○,比▲多 2 个。

▲▲▲▲▲ _____

画□,比◆多 3 个。

◆◆◆◆ _____

🐶 看图列式并计算。

□ + □ = □   □ + □ = □

🐶 写出四个得数是 7 的加法算式。

(   ) + (   ) = ◯   (   ) + (   ) = ◯

(   ) + (   ) = ◯   (   ) + (   ) = ◯

7 的减法练习

 看图列式并计算。

 小兔采蘑菇，请你连一连。

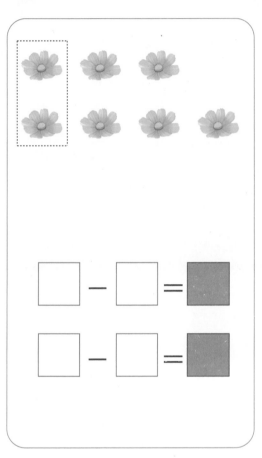

```
□ - □ = ▢
□ - □ = ▢
```

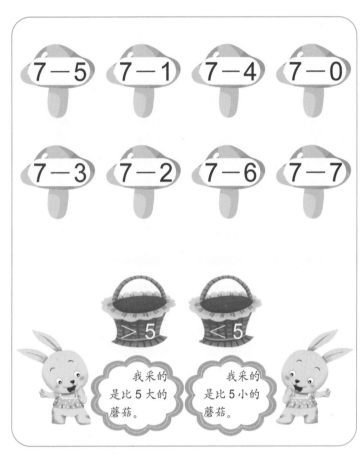

7-5　7-1　7-4　7-0

7-3　7-2　7-6　7-7

我采的是比5大的蘑菇。　我采的是比5小的蘑菇。

 看图列式并计算。

 7个

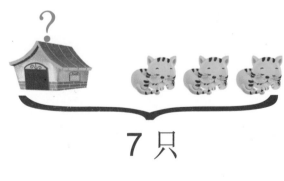 7只

□ ○ □ = □　　□ ○ □ = □

名牌学校入学准备金方案

7以内的综合练习

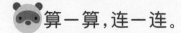 数一数，填数字。

算一算，连一连。

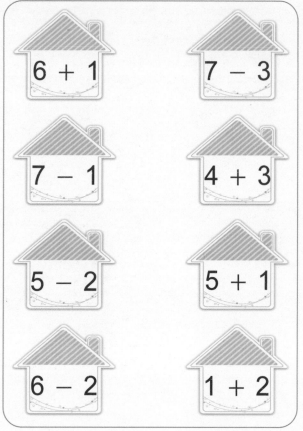

填一填。

一共有（　　）只小动物。从左数小马排第（　　）位；从右数小牛排在第（　　）位；从左数小熊猫排第（　　）位，从右数排第（　　）位。

在 ◯ 中填上"＋"或"－"，使算式成立。　在 ● 里填上">""<"或"="。

2 ◯ 5 = 7　　5 ◯ 5 = 0

4 ◯ 3 = 7　　6 ◯ 1 = 7

6 ◯ 2 = 4　　7 ◯ 5 = 2

5 ◯ 3 = 2　　4 ◯ 1 = 3

7 − 5 ● 7 − 3

6 + 1 ● 2 + 5

4 + 3 ● 3 + 3

7 − 3 ● 6 − 4

给得数是 7 的袜子画"✓"。

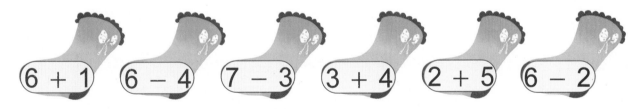

6 + 1　　6 − 4　　7 − 3　　3 + 4　　2 + 5　　6 − 2

看图列算式。

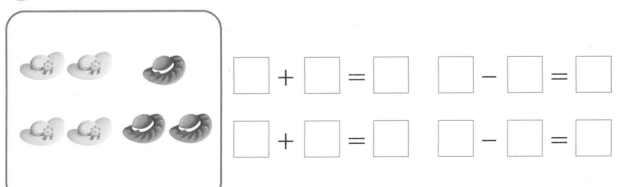

☐ + ☐ = ☐　　☐ − ☐ = ☐

☐ + ☐ = ☐　　☐ − ☐ = ☐

认识数字8

8 像葫芦两头圆

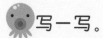 写一写。

8	8	8	8	8	8	8	8	8	8
8									

照样子把可以组成8的两个数用线连起来。

8 的分解和组合

 填一填。

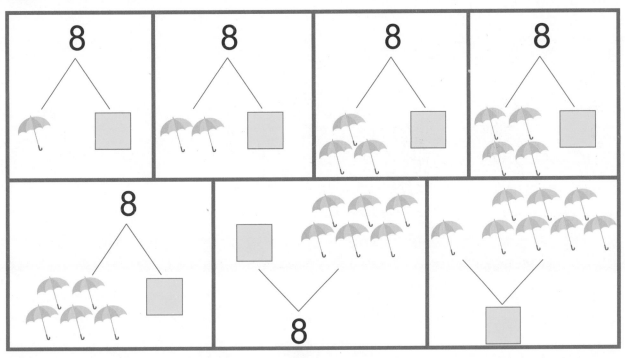

🐸 看谁数得快，填在方框里。

🐸 填填看。

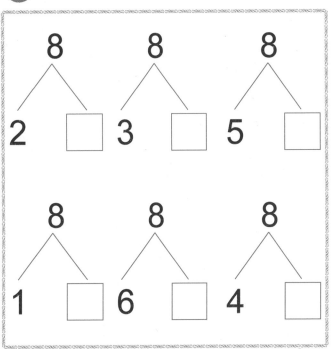

8的加法练习

🐱 看图列算式。

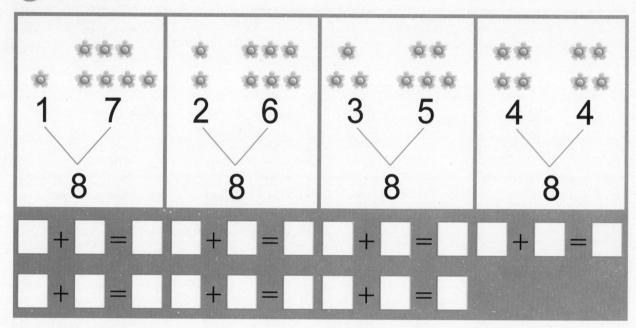

| □ + □ = □ | □ + □ = □ | □ + □ = □ | □ + □ = □ |
| □ + □ = □ | □ + □ = □ | □ + □ = □ | |

🐱 看图列式并计算。

🐱 看谁算得又对又快。

□ + □ = □

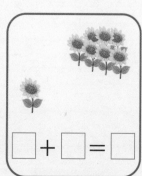

□ + □ = □

$5 + 2 = \bigcirc$ $4 + 3 = \bigcirc$

$7 + 1 = \bigcirc$ $2 + 6 = \bigcirc$

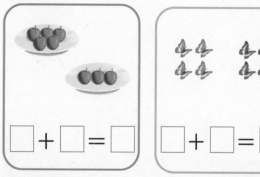

□ + □ = □   □ + □ = □

$2 + 4 = \bigcirc$ $4 + 4 = \bigcirc$

$5 + 3 = \bigcirc$ $8 + 0 = \bigcirc$

8以内的减法练习

🐑 看图列算式。

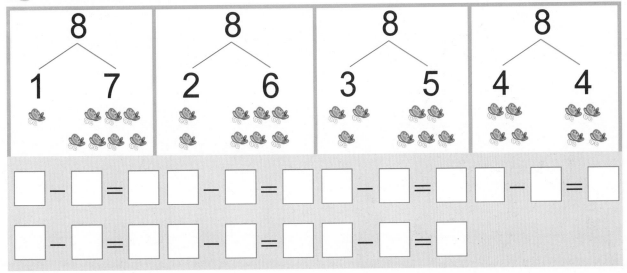

8	8	8	8
1 7	2 6	3 5	4 4

□ − □ = □ □ − □ = □ □ − □ = □ □ − □ = □

□ − □ = □ □ − □ = □ □ − □ = □

🐑 连一连。

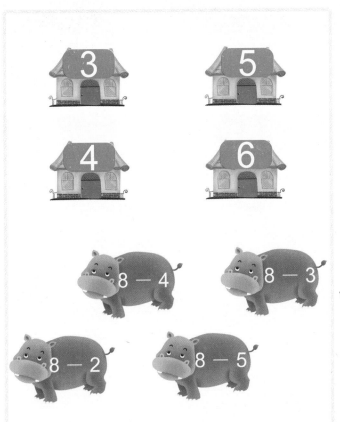

3   5

4   6

8 − 4   8 − 3

8 − 2   8 − 5

🐑 看图列式计算。

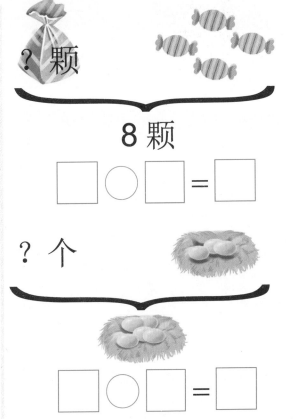

? 颗

8 颗

□ ○ □ = □

? 个

□ ○ □ = □

51

8以内的综合练习

🐷 把 1~8 按顺序连线。

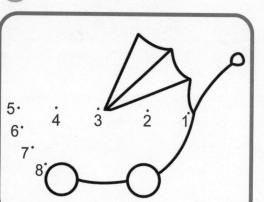

🐷 在 ◯ 里填上 ">" "<" 或 "="。

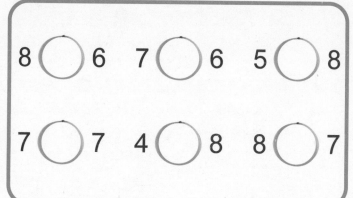

8 ◯ 6   7 ◯ 6   5 ◯ 8

7 ◯ 7   4 ◯ 8   8 ◯ 7

🐷 画一画, 写一写。

| | 4 | 6 | |

🐷 填空。

5   1   3   8   2   4   7   6

图中一共有( )只小鸟,从右数,( )号小鸟在最前面,1
号小鸟在第( )位,8 号小鸟在( )号和( )号小鸟之间。

🐷 把8个本子分给两个人，可以怎么分？

🐷 请用2、6、8列两道加法算式
和两道减法算式。

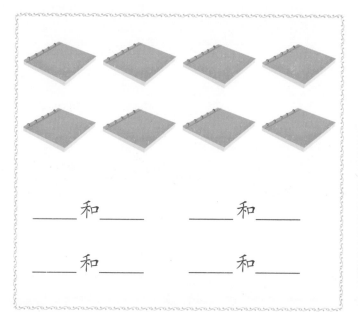

_____ 和 _____　　　_____ 和 _____

_____ 和 _____　　　_____ 和 _____

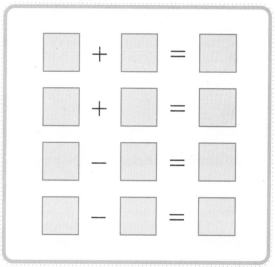

🐷 把下列算式的得数按由小到大的顺序排列。

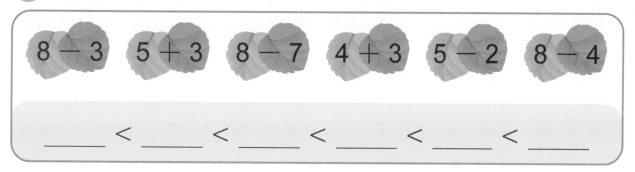

$8-3$　$5+3$　$8-7$　$4+3$　$5-2$　$8-4$

_____ < _____ < _____ < _____ < _____ < _____

🐷 停车场有8辆汽车，开走了2辆，还剩多少辆？

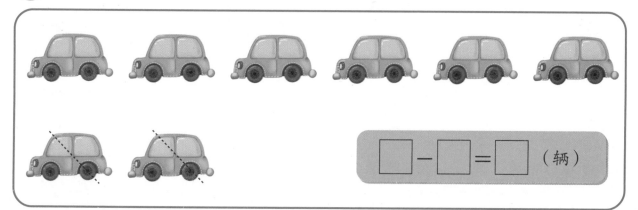

$\square - \square = \square$　（辆）

认识数字9

9像勺子来盛饭

写一写。

9	9	9	9	9	9	9	9	9
9								

数一数，圈出对应的数字。

⑧ ⑨ ⑥   ⑤ ④ ⑥   ⑥ ⑨ ④   ⑤ ④ ⑦

9的分解和组合

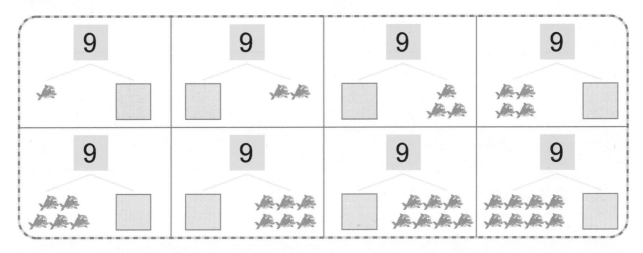 填一填。

和小动物身上数字相加得9的房子才是各个小动物的房子。请帮忙找一
找，用线连一连。

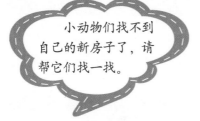

小动物们找不到
自己的新房子了，请
帮它们找一找。

 5

 1

 2

 3

 8

 4

 6

 7

9的加法练习

🐰 请你再添画一些图案，使每种图案的数量都是9。

❤

✦ ✦ ✦ ✦

🍀 🍀 🍀

🐰 快速写出答案。

$5 + 4 = \square$

$2 + 7 = \square$

$1 + 8 = \square$

$3 + 6 = \square$

🐰 请把下面的数字按从小到大的顺序重新排列。

____ < ____ < ____ < ____ < ____ < ____ < ____ < ____

9 的减法练习

🐻 看图补全算式。

9 ○ 3 = ☐   ☐ − 6 = ☐

☐ − 4 = ☐   9 − 5 = ☐

🐻 看图列算式。

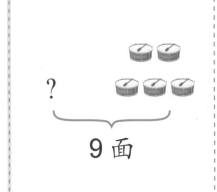

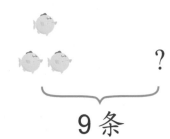

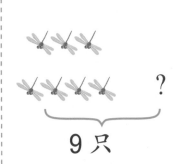

9 面   9 条   9 只

☐ ○ ☐ = ☐   ☐ ○ ☐ = ☐   ☐ ○ ☐ = ☐

名牌学校入学准备金方案

9以内的综合练习

根据9的组成，列出加法算式。

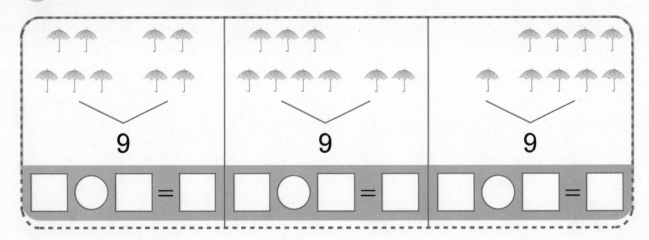

$\square \bigcirc \square = \square$　　　$\square \bigcirc \square = \square$　　　$\square \bigcirc \square = \square$

快速写出答案。

$6 + 3 = \square$　　　$5 + 4 = \square$　　　$9 + 0 = \square$

$2 + 7 = \square$　　　$8 + 1 = \square$　　　$7 + 2 = \square$

在 ◯ 中填上 ">" "<" 或 "="。

$4 + 3 \bigcirc 5 + 4$　　　$5 + 2 \bigcirc 4 + 4$

$3 + 6 \bigcirc 6 + 2$　　　$2 + 5 \bigcirc 6 + 1$

$9 - 3 \bigcirc 7 - 4$　　　$9 - 3 \bigcirc 2 + 5$

$5 + 3 \bigcirc 6 - 3$　　　$5 + 4 \bigcirc 6 + 3$

🐤 看图数一数,并与对应的数字用线连起来。

   **2**      **9**

 **3**      **7**

 **5**    **8**

 **4**   **6**

🐤 看图列式并计算。

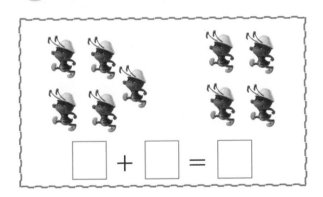

☐ + ☐ = ☐

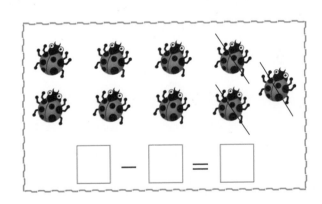

☐ − ☐ = ☐

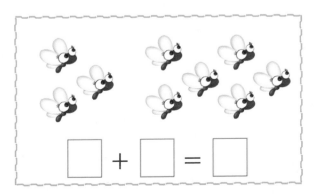

☐ + ☐ = ☐

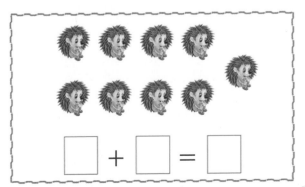

☐ + ☐ = ☐

认识数字 10

10 像小棍加鸡蛋

写一写。

10	10	10	10	10	10	10	10	10
10								

下面哪一堆糖果是 10 颗？在它下面画"√"。

10 的分解和组合

填数字。

10	10	10	10
☐ 9	☐ 8	☐ 7	☐ 6
5 ☐	3 ☐	2 ☐	1 ☐
10	10	10	10

把相加后得数是 10 的两只小猴用线连起来。

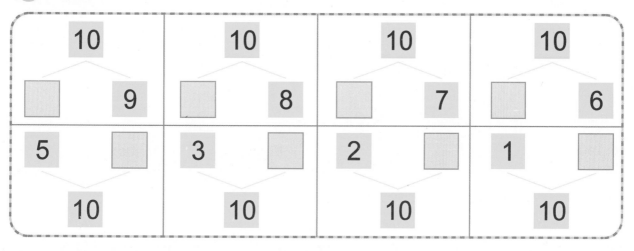

6   2   5   7   9

5   1   3   8   4

把 10 分解成两个数,可以怎样分呢?

10   10

10 的加法练习

🐶 算一算。

$9 + 1 =$　　　$7 + 3 =$　　　$5 + 5 =$

$8 + 2 =$　　　$6 + 4 =$　　　$4 + 6 =$

🐶 把 10 分解成两个数,可以怎样分呢?

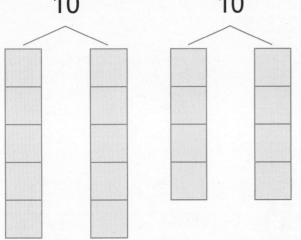

🐶 根据算式画出图案,再计算。

$2 + 8 = ($　　$)$

$4 + 6 = ($　　$)$

🐶 请把下面的算式按得数由大到小的顺序排列。(填字母)

A
$3 + 5$

B
$4 + 5$

C
$2 + 8$

D
$2 + 4$

E
$2 + 5$

F
$1 + 2$

$($　　$) > ($　　$) > ($　　$) > ($　　$) > ($　　$) > ($　　$)$

62

10 的减法练习

🐨 算一算。

$$10 - 1 = \qquad 10 - 2 = \qquad 10 - 3 =$$

$$10 - 4 = \qquad 10 - 5 = \qquad 10 - 6 =$$

🐨 填空,并列出算式。

🐨 写出算式,并且每个算式都不同。

8 比 6 多( )。　□ ○ □ = □

10 比 4 多( )。　□ ○ □ = □

3 比 9 少( )。　□ ○ □ = □

4 比 8 少( )。　□ ○ □ = □

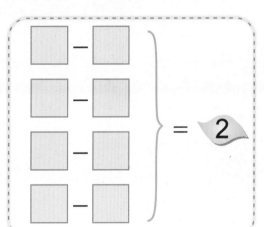

🐨 根据下面的算式,写出另外两道减法算式。

6 + 4 = 10	3 + 7 = 10
4 + 6 = 10	7 + 3 = 10

10以内的综合练习

🐼 在 [　] 里填写小动物的数量,并说说哪两种小动物的数量相加得10。

🐼 两个数字相加得 10 的小皮球是好朋友,请你帮忙找一找吧!

6 **1** **9** **8** **3** **2** **4** **7**

一共有_____对好朋友,它们分别是:_____。

🐼 在方框里填上合适的数。

你知道这些信封都要往哪个信箱里投吗？请根据算式连一连吧！

在右边的方框中写出得数是 10 的算式。

数一数，每排各有多少个乐器？然后比一比多少。

🎵比🎸多_____个；

🎸比🎵少_____个。

🐼 看图填空。

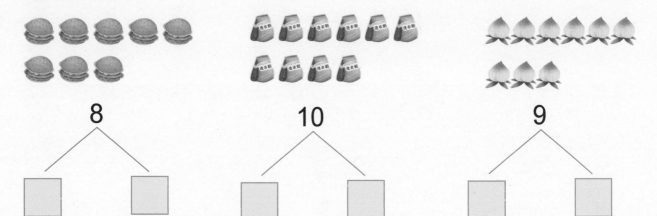

8

[ ] [ ]

10

[ ] [ ]

9

[ ] [ ]

🐼 在 [ ] 中写出正确的得数。

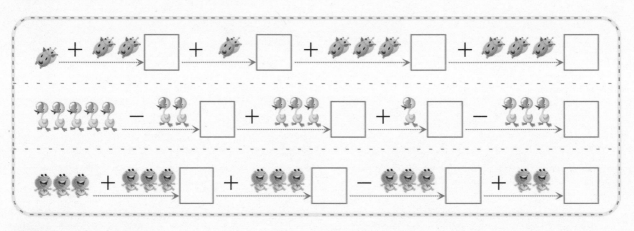

🐼 按顺序填数字。

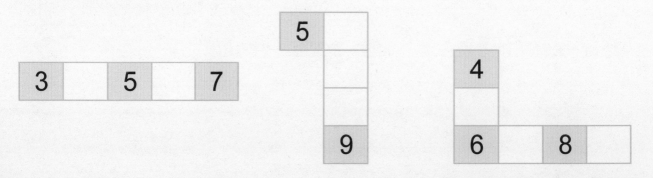

| 3 | | 5 | | 7 |

5
[ ]
[ ]
9

4 [ ]
6 [ ] 8 [ ]

学前数学

🐼 妈妈给小华做了 10 块蛋糕，小华吃了 6 块，还剩多少块？

□ ○ □ = □（块）

🐼 按要求画图案。

① 有 4 个 ❤。
_____

② 🌙 与 ❤ 一样多。
_____

③ ✦ 比 🌙 多 3 个。
_____

🐼 数一数，填一填。

从左向右数，第（　　）盆开 5 朵花，开 2 朵花的是第（　　）盆。
从右向左数，第（　　）盆开 7 朵花，开 4 朵花的是第（　　）盆。

🐼 从 1～10 中选出 9 个数填在□里，组成 3 道算式，每个数只能用一次。

1　2　3　4　5　6　7　8　9　10

□ + □ = □

□ + □ = □

□ + □ = □

67

10 以内的加法

🐙 在◯中填上 ">" 或 "<"。

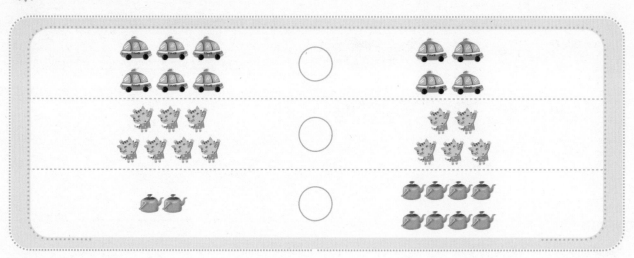

🐙 请把得数是 10 的树叶涂成绿色。

| 1 + 7 | 6 + 4 | 3 + 5 |

| 4 + 5 | 5 + 5 |

🐙 下面两组图，分别有一排图形与其他的数量不同，请在它后面画 "√"。

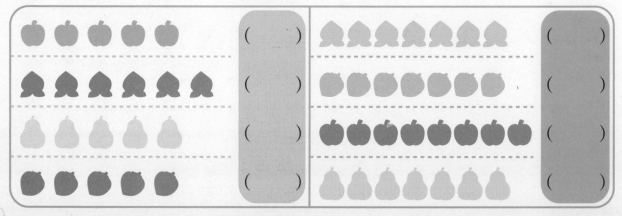

学前数学

🐙 在 ▢ 里填上合适的数字。

8

9

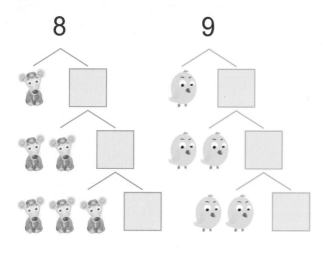

🐙 填一填。

小军给小华( )个气球,他们
的气球数量就同样多了。

🐙 连一连,请你帮小蝌蚪找到它们的妈妈。

2 + 5　　　2 + 2　　　4 + 4　　　4 + 2

4　　　6　　　8　　　7

🐙 按要求填空。

①比 6 小的数有_____。②比 3 大比 7 小的数有_____。

③2 与 8 之间有_____个数。④4 与 9 之间的数有_____。

10 以内的减法

看图列式计算。

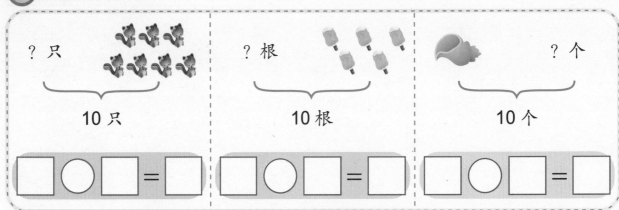

? 只   10 只   ? 根   10 根   ? 个   10 个

□ ○ □ = □   □ ○ □ = □   □ ○ □ = □

在 □ 里填上合适的数字。

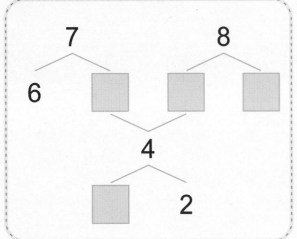

按要求填空。

① 一共有(　　　)种图形。
② 有(　　)个☀,有(　　)个★。
③ 有(　　)个☂,有(　　)个♥。
④ 第一行左数,第 4 个图形是(　　)。

看示例,填上正确的数字。

例:

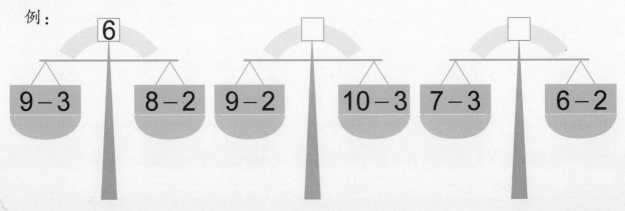

在 ☐ 里填上合适的数字。

8	9	5	2	3	7
	☐	☐	☐	☐	☐	☐

按顺序填数字。

○ ○ 3 ○ 5

○ 1 ○ ○ 4

5 ○ 3 ○ ○

○ ○ 8 ○ 10

按照数字从大到小的顺序走,小袋鼠就能找到家了。请你帮它走一走吧!

10 9 10
7 8
1 10 8 6 5 7
5 4
3 4
2 1
3 2

根据图意,与对应的数字连线。

7

8

6

10 以内的连加

🐱 小芳上午画了 4 朵小花，下午画了 3 朵，晚上又画了 2 朵，你知道小芳今天一共画了多少朵小花吗？

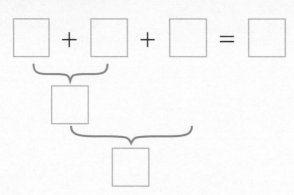

🐱 计算下面的算式。

3 + 4 + 2 = ☐　　4 + 1 + 5 = ☐

5 + 2 + 1 = ☐　　3 + 5 + 1 = ☐

🐱 看图列算式。

☐ + ☐ + ☐ = ☐　　☐ + ☐ + ☐ = ☐

☐ + ☐ + ☐ = ☐　　☐ + ☐ + ☐ = ☐

🐱 看图列算式。

🐱 列式计算。

　　小强有 4 个笔记本, 妈妈送给他 2 个, 爸爸又送给他 3 个, 现在小强一共有多少个笔记本?

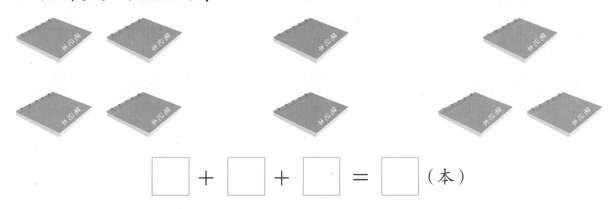

$$\boxed{} + \boxed{} + \boxed{} = \boxed{} （本）$$

🐱 算一算,连一连,帮小动物找家。

| 1+2+4 | 2+3+4 | 0+4+4 | 1+2+1 |

| 1+3+0 | 4+2+2 | 1+3+3 | 6+2+1 |

10以内的连减

🐑 计算。

$10 - 3 - \boxed{} = 4$ $6 - \boxed{} - 1 = 2$

$7 - 2 - \boxed{} = 3$ $8 - 1 - \boxed{} = 6$

🐑 计算并填空。

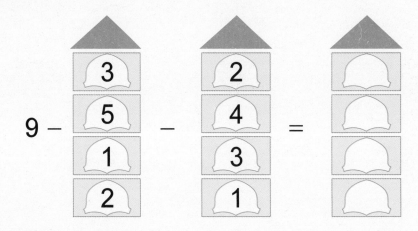

$9 - \begin{array}{c}3\\5\\1\\2\end{array} - \begin{array}{c}2\\4\\3\\1\end{array} = $

🐑 看谁算得又对又快。

$9 - 3 - \boxed{} = 1$ $6 - \boxed{} - 4 = 1$

$6 - 1 - \boxed{} = 2$ $9 - 1 - \boxed{} = 5$

$7 - 3 - \boxed{} = 3$ $10 - \boxed{} - 6 = 3$

$10 - 2 - \boxed{} = 5$ $7 - 2 - \boxed{} = 4$

将正确的数填入 □ 内。

$8 - \boxed{} - 3 = 5 \qquad 8 - \boxed{} - 2 = 4 \qquad \boxed{} - 2 - \boxed{} = 2$

$5 - 2 - \boxed{} = 1 \qquad 7 - \boxed{} - 2 = 4 \qquad 6 - 2 - \boxed{} = 3$

$7 - 2 - \boxed{} = 3 \qquad 9 - 1 - \boxed{} = 6 \qquad 9 - 3 - \boxed{} = 5$

解决问题。

树上有 9 个苹果，小猴摘走了 2 个，小松鼠摘走了 3 个，树上还剩下多少个苹果？

花店里一共有 10 盆花，上午卖掉了 3 盆，下午卖掉了 4 盆，花店里还有多少盆花？

妈妈早上买回 10 个芒果，哥哥吃了 3 个，妹妹吃了 5 个，还剩下多少个芒果？

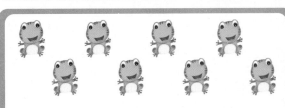

池塘里有 8 只青蛙，游走了 4 只，过了一会又游走了 3 只，现在有多少只青蛙？

10以内的加减混合运算

把1～5填在✿内,使横竖相加的和相等。

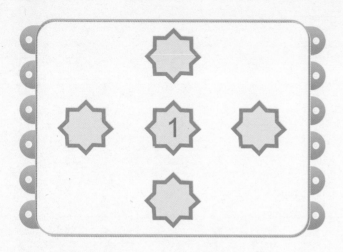

在○里填">""<"或"="。

$2 + 3 - 1 \bigcirc 3$ $1 + 3 - 2 \bigcirc 6$ $2 - 1 + 5 \bigcirc 7$

$7 + 2 - 5 \bigcirc 3$ $6 + 3 - 4 \bigcirc 5$ $4 - 1 + 4 \bigcirc 6$

$4 + 1 - 2 \bigcirc 3$ $9 - 5 + 2 \bigcirc 4$

看图列式并计算。

$\square - \square + \square = \square$ $\square + \square - \square = \square$

❀ 快来帮小动物算一算,然后把答案填在小动物下面的 ⬭ 里。

$10 - 7 + 3 =$	$9 - 7 + 5 =$	$5 + 4 - 2 =$

❀ 看图列算式。

$\boxed{} - \boxed{} + \boxed{} = \boxed{}$ $\boxed{} + \boxed{} - \boxed{} = \boxed{}$

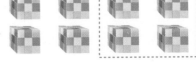

❀ 看谁算得又准又快。

$8 - 3 + 5 =$	$2 + 5 - 6 =$	$6 - 5 + 7 =$
$6 + 2 - 4 =$	$5 - 4 + 8 =$	$3 + 4 - 3 =$
$7 - 2 + 3 =$	$4 + 3 - 2 =$	$5 - 2 + 6 =$

77

10 以内的应用题

比一比,填一填。

 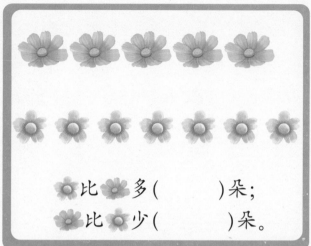

伞 比 伞 多 ( ) 把;
伞 比 伞 少 ( ) 把。

花 比 花 多 ( ) 朵;
花 比 花 少 ( ) 朵。

小花猫有 7 条鱼,中午吃掉了 2 条,小黑猫又送给小花猫 4 条鱼,现在小花猫一共有多少条鱼?

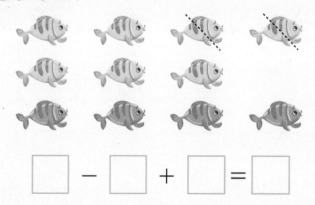

□ − □ + □ = □

挑战一下。

一只猫吃掉 1 条鱼需要 2 分钟,那么吃掉 3 条鱼需要多少分钟呢?

2 分钟   ? 分钟

🐷 小明给小东 4 颗糖果,小明的糖果就和小东的一样多了,小明原来比小东多几颗糖果?

小明 − 🍬🍬🍬🍬 = 小东 + 🍬🍬🍬🍬

小明 − 小东 = ?

小明原来比小东多(　　　)颗糖果。

🐷 小敏买了一本童话书,第一天读了 4 页,第二天读了 4 页,第三天读了 2 页,这三天小敏一共读了多少页?

☐ + ☐ + ☐ = ☐ (页)

🐷 彩虹桥。

小象走过有魔法的彩虹桥后,身上的星星会发生变化,请给过桥后的小象画上星星。

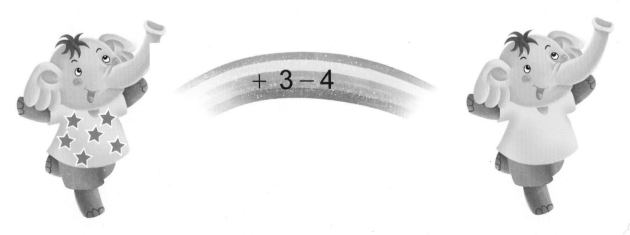

分类

分类

🐵 把同类的玩具用线连起来。

🐵 小动物的家。

小鸭、小象和小羊都有自己的家,但大小不一样,请把小动物与各自的家连起来。

🐵 下列物品中,有两个与其他的不同,请把不同的圈出来。

学前数学

妈妈带小文去买学习用品，下面哪些是学习用品呢？请在◯里画"✓"。

把动物用蓝色的笔圈出来，植物用红色的笔圈出来。

请从下面两组图中找出与该组中其他三个不一样的物品，用◯圈出来，并说明它的不同之处。

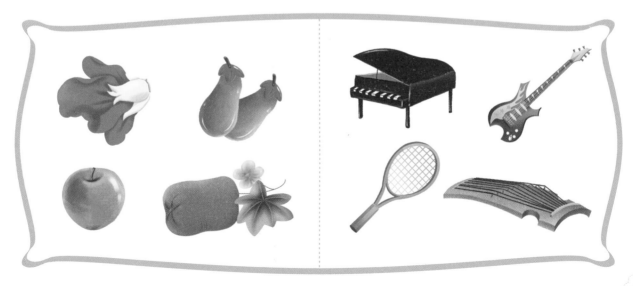

分类的综合练习

🐰 小朋友,你知道下图中哪些是水果,哪些是蔬菜吗?请用红笔圈出水果,用蓝笔圈出蔬菜,再填一填。

蔬菜

有(　　)种。

水果

有(　　)种。

🐰 小朋友,把下面同类的物品用线连起来。

学前数学

将在水中生活的动物用△圈出来,在陆地上生活的动物用○圈出来。

下图中的物品给谁最合适?请用线连一连。

83

平面图形

平面图形

🐻 把图形与它们的名称连起来。

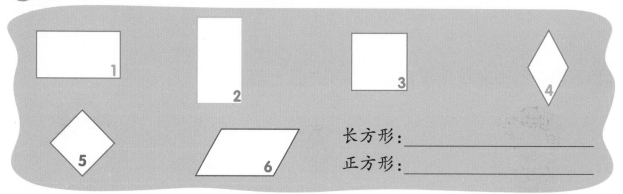

正方形　　　　长方形　　　　三角形　　　　圆形

🐻 请指出哪些是长方形,哪些是正方形?（填序号）

长方形：_____

正方形：_____

🐻 将上排与下排相似的图形用线连起来。

🐻 描一描，画一画。

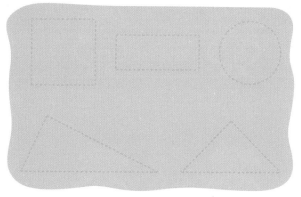

🐻 辨认图形。（填字母）

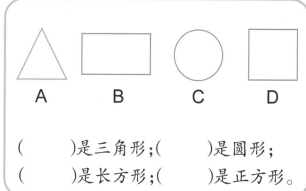

（　　　）是三角形；（　　　）是圆形；
（　　　）是长方形；（　　　）是正方形。

🐻 数一数，填一填。

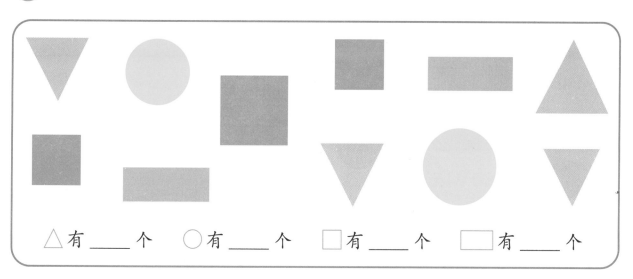

△有＿＿＿个　　○有＿＿＿个　　□有＿＿＿个　　▭有＿＿＿个

🐻 数一数图中有多少个三角形。

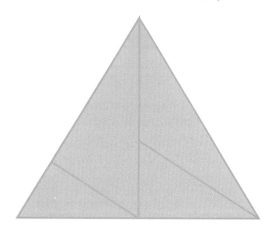

有 □ 个三角形。

平面图形的综合练习

找出不是等分的图形,画"×"。

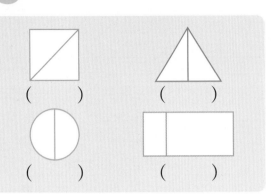

找规律,画一画。

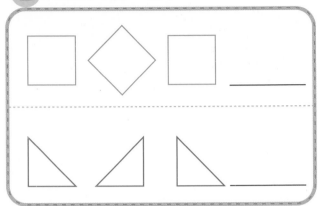

左边的哪个图形不是右边的等分图?请圈出来。

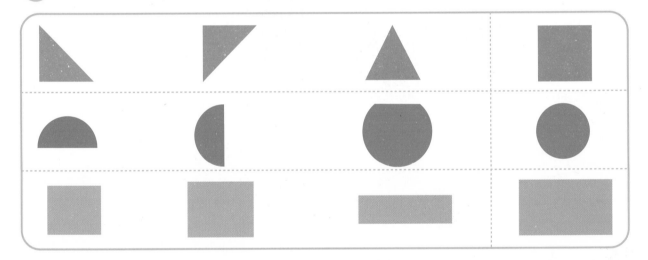

涂一涂。

把长方形涂成紫色,正方形涂成黄色,三角形涂成绿色,圆形涂成红色。

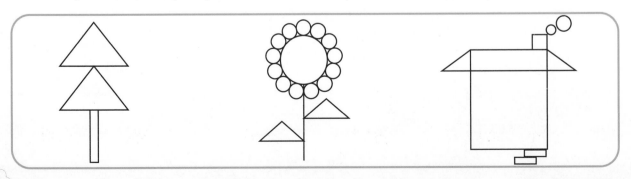

🐤 按要求画图。

小猫的被子是圆形的,请在它的被子上画条小鱼。

小羊的被子是长方形的,请在它的被子上画棵小草。

小狗的被子是三角形的,请在它的被子上画根骨头。

小刺猬的被子是正方形的,请在它的被子上画个苹果。

🐤 数一数,填一填。

△ 有 ＿＿ 个。
○ 有 ＿＿ 个。
□ 有 ＿＿ 个。
▭ 有 ＿＿ 个。

🐤 按要求填空。

有( )个正方形　　　　有( )个三角形　　　　有( )个圆形

立体图形

- - - - - - - - - - - - - - - - -

立体图形

 连一连。

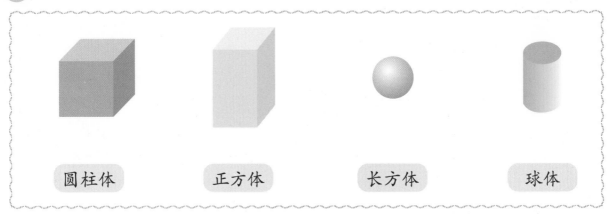

圆柱体　　　　正方体　　　　长方体　　　　球体

数一数，填一填。

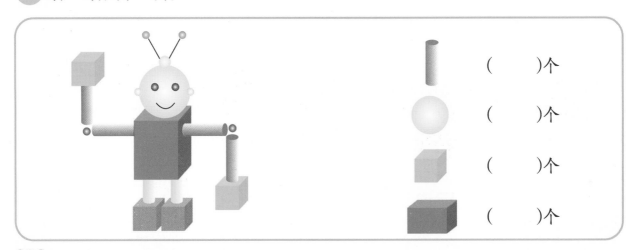

(　　)个

(　　)个

(　　)个

(　　)个

数一数，填一填。

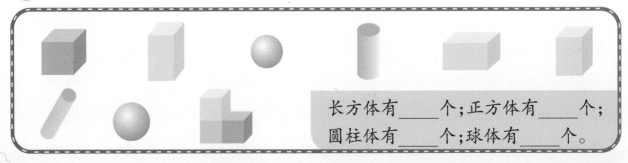

长方体有_____个；正方体有_____个；
圆柱体有_____个；球体有_____个。

观察下列生活中常见的几何体,然后填空。

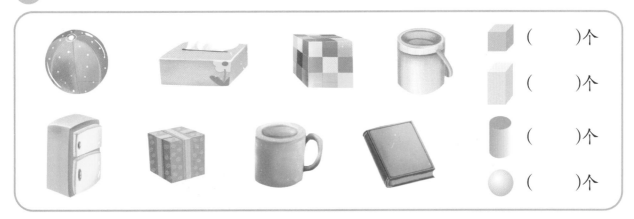

（　　）个

（　　）个

（　　）个

（　　）个

数一数下列图形中各有多少个正方体。

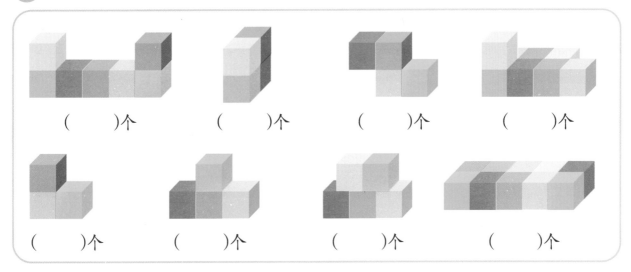

（　　）个　　（　　）个　　（　　）个　　（　　）个

（　　）个　　（　　）个　　（　　）个　　（　　）个

下面的几何体从侧面看都是什么图形？连一连吧!

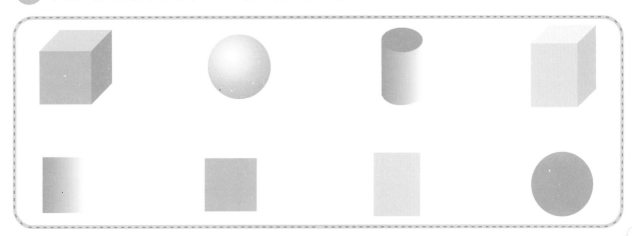

立体图形的综合练习

🐮 看图数一数,并填空。

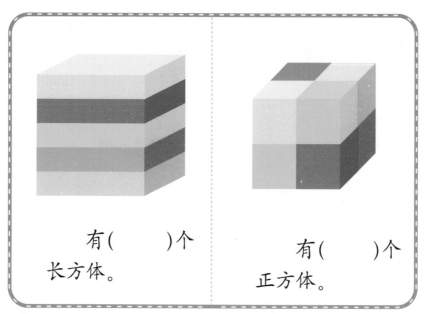

有( )个
长方体。

有( )个
正方体。

🐮 看图回答问题。(填序号)

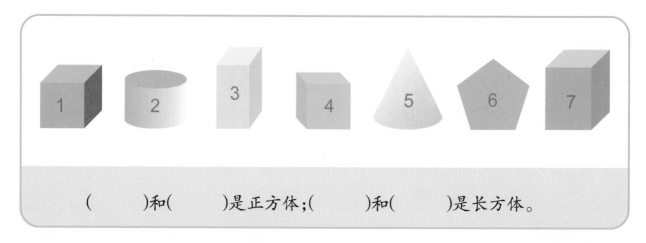

( )和( )是正方体;( )和( )是长方体。

🐮 下面哪些是几何图形?请圈出来。

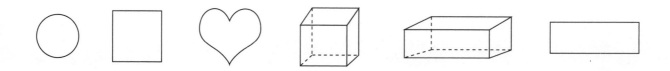

学前数学

🐮 下图是玲玲的房间,看看哪些物品是长方体? 请圈出来。

🐮 下列几何体中哪个是球体? 请圈出来。

🐮 数一数,填一填。

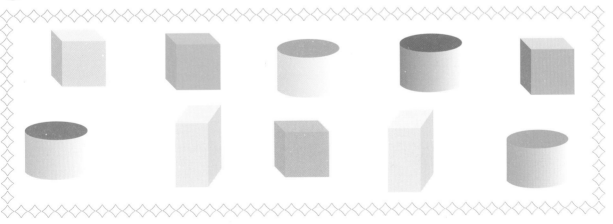

正方体有( )个,长方体有( )个,圆柱体有( )个。

认识数字11~20

认识11~20

 从 11 写到 20。

 数一数,填一填。

( )个一是 1 个十。

1 个十和 1 个一合起来 是( )。	1 个十和 3 个一合起来 是( )。

数一数下列动物各有多少只,并写在对应的( )里。

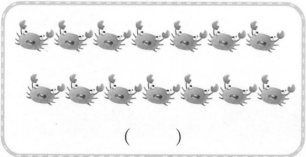

( )

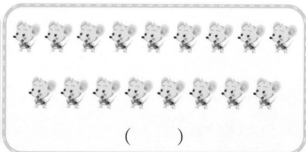

( )

10 个物体是一组,下列图中物体的数量有多少? 请在 ◯ 中写出来。

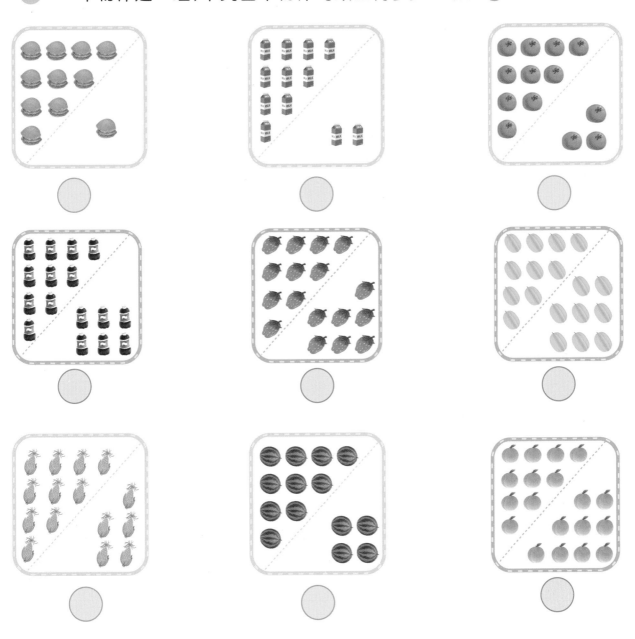

按要求写数。

从 10 写到 18: _____

从 11 写到 20: _____

数位的认识

16 这个数：

个位上是_____,十位上是_____,16 中有_____个十和_____个一。

数一数,在( )中填上正确的数字。

( )个十和( )个一,共( )把雨伞。

( )个十和( )个一,共( )把雨伞。

请数一数下面珠子的数量分别是多少,写在方框里。

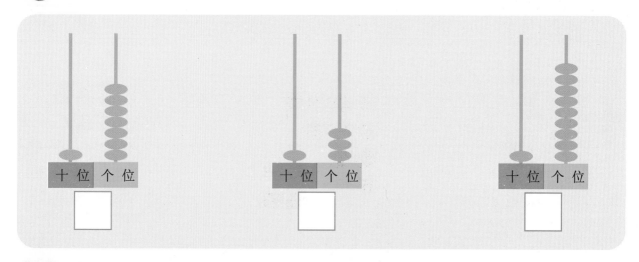

十位 个位

十位 个位

十位 个位

请数一数下面花朵的数量分别是多少,写在( )里。

( )朵

( )朵

🐨 填空。

① 1 个十和 8 个一是(　　　)。

② 13 是由(　　　)个十和(　　　)个一组成的。

③ 18 这个数,十位上是(　　　),个位上是(　　　)。

④ 一个数个位上是 5,十位上是 1,这个数是(　　　)。

🐨 数一数个位和十位上各有多少个色条,再在空格里填上相应的数。

🐨 数一数,连一连。

14　　18　　17　　15　　20　　16

整十数加一位数

🐼 看图列式并计算。

| | + | | = | |

| | + | | = | |

🐼 看图填空。

1个十和3个一组成(　　　)。

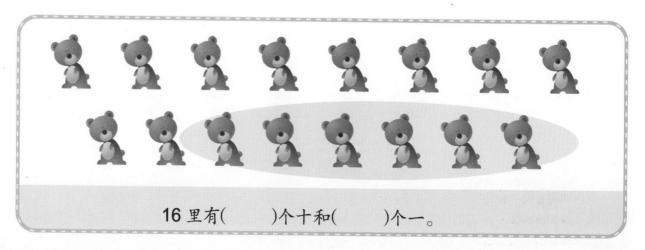

16里有(　　　)个十和(　　　)个一。

快速写出得数。

10 + 1 = ☐   10 + 2 = ☐   10 + 3 = ☐

10 + 4 = ☐   10 + 5 = ☐   10 + 6 = ☐

10 + 7 = ☐   10 + 8 = ☐   10 + 9 = ☐

在◯里填上">""<"或"="。

10 + 4 ◯ 5 + 10   7 + 10 ◯ 9 + 1

8 + 2 ◯ 2 + 10   7 + 3 ◯ 9 + 1

10 + 8 ◯ 4 + 10   8 + 10 ◯ 9 + 1

填空。

1个十和6个一加起来是(   )。

十位上是1,个位上是4,这个数是(   )。

个位上是0,十位上是2,这个数是(   )。

20以内的不进位加法

🐙 把算式和对应的得数连起来。

11 + 5	10 + 3	12 + 1	16
12 + 4	10 + 6	11 + 2	13
12 + 5	14 + 3	13 + 5	18
13 + 4	15 + 3	12 + 6	17
14 + 2	11 + 8	16 + 2	19

🐙 按照动物的大小，把算式的得数依次填在横线上。

11 + 3	13 + 6	15 + 2	14 + 1	16 + 2

_____ _____ _____ _____ _____

学前数学

请把与得数对应的算式填在横线上。（填序号）

| ① 12＋5 | ② 13＋6 | ③ 14＋5 | 17 _____ |
| ④ 14＋3 | ⑤ 11＋6 | ⑥ 16＋1 | 19 _____ |

在 ☐ 里填上正确的数。

14 ＋ ☐ ＝ 18　　13 ＋ 6 ＝ ☐　　10 ＋ 8 ＝ ☐

13 ＋ ☐ ＝ 17　　11 ＋ 5 ＝ ☐　　12 ＋ 3 ＝ ☐

15 ＋ ☐ ＝ 19　　14 ＋ 3 ＝ ☐　　15 ＋ 2 ＝ ☐

计算。

10 ＋ 4 ＝ ☐
10 ＋ 5 ＝ ☐
10 ＋ 7 ＝ ☐

11 ＋ 5 ＝ ☐
11 ＋ 8 ＝ ☐
11 ＋ 3 ＝ ☐

12 ＋ 2 ＝ ☐
12 ＋ 5 ＝ ☐
12 ＋ 6 ＝ ☐

13 ＋ 3 ＝ ☐
13 ＋ 4 ＝ ☐
13 ＋ 5 ＝ ☐

20以内的进位加法

🐸 在 ☐ 中填上正确的数字。

$$9 + 3 = \boxed{} \qquad 6 + 5 = \boxed{} \qquad 8 + 6 = \boxed{}$$

| 1 | 2 | | | | | | |

🐸 在 ☐ 中填上正确的答案。

$$\begin{matrix} 8 \\ 6 \\ 4 \end{matrix} \;>\; + \;<\; \begin{matrix} 3 \\ 9 \\ 7 \end{matrix} \;=\; < \begin{matrix} \boxed{} \\ \boxed{} \\ \boxed{} \end{matrix} \qquad \begin{matrix} 3 \\ 5 \\ 6 \end{matrix} \;>\; +8 \;=\; < \begin{matrix} \boxed{} \\ \boxed{} \\ \boxed{} \end{matrix}$$

🐸 按要求在 ⬡ 里填上正确的数字。　　🐸 填空。

连续加2：

2 — 4 — ⬡ — ⬡ — ⬡ — ⬡

连续加3：

3 — 6 — ⬡ — ⬡ — ⬡ — ⬡

连续加4：

0 — 4 — ⬡ — ⬡ — ⬡ — ⬡

$$\left. \begin{array}{l} 9 + \bigcirc \\ 6 + \bigcirc \\ 7 + \bigcirc \\ 4 + \bigcirc \\ 5 + \bigcirc \end{array} \right\} = 8 + 5$$

学前数学

🐸 在⚪里填上合适的数字。

13 → 7 ⚪
14 → 6 ⚪
17 → 8 ⚪
16 → 9 ⚪
18 → 9 ⚪

🐸 把算式和对应的得数用线连起来。

9+8	8+7	6+7	6+5	9+3

12   17   15   11   13

🐸 在□里填上正确的数字。

9 + □ = 18   8 + □ = 12   7 + 5 = □

8 + □ = 17   5 + 6 = □   9 + 3 = □

🐸 在⚪里填">" "<"或"="。

9 + 6 ⚪ 14   9 + 7 ⚪ 18   7 + 8 ⚪ 18

7 + 3 ⚪ 11   8 + 5 ⚪ 16   8 + 9 ⚪ 19

5 + 7 ⚪ 9 + 3   9 + 4 ⚪ 8 + 3

101

名牌学校 入学准备金方案

 在每组中得数最小的算式后画"√"。

8＋6 ○　　6＋4 ○　　9＋7 ○　　5＋6 ○　　9＋6 ○

4＋7 ○　　9＋9 ○　　9＋8 ○　　8＋5 ○　　6＋6 ○

将得数相同的算式用线连起来。

5＋8　　6＋9　　8＋8　　5＋7

7＋9　　4＋8　　4＋9　　8＋7

把上下相加等于 14 的两个数圈出来。

7	9	6	9	8	5	7	7
6	6	8	2	5	9	3	7

7	6	8	4	9	7	3	8
8	7	6	9	5	6	9	2

102

🐸 填一填。

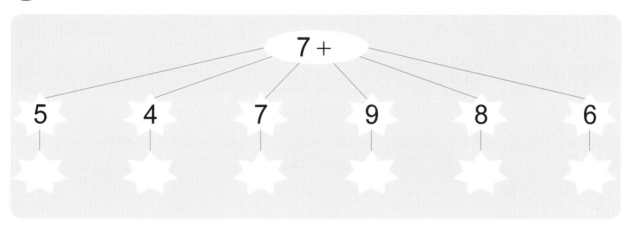

🐸 看图列式并计算。

$\Box + \Box = \Box$ $\Box + \Box = \Box$

$\Box + \Box = \Box$ $\Box + \Box = \Box$

20以内的不退位减法

😺 把写有正确得数的 🍑 涂上颜色。

18 - 4 = (14) (15) (16)　　15 - 2 = (11) (12) (13)

17 - 2 = (10) (15) (16)　　16 - 3 = (12) (13) (14)

😺 看谁算得又快又准。

16 - 3 = ☐　　　　15 - 4 = ☐

17 - 4 = ☐　　　　19 - 5 = ☐

15 - 2 = ☐　　　　17 - 6 = ☐

16 - 4 = ☐　　　　18 - 3 = ☐

😺 把算式和正确的得数用线连起来。

(17 - 4)　　(18 - 4)　　(17 - 12)　　(16 - 13)

5　　　　3　　　　13　　　　14

(16 - 3)　　(16 - 2)　　(15 - 10)　　(19 - 16)

把下列算式的得数按要求写在方框中。

| 19 − 9 | 19 − 8 | 19 − 6 |
| 18 − 7 | 17 − 2 | 16 − 3 |

大于 12

小于 12

计算下列算式，并圈出相应数量的图案。

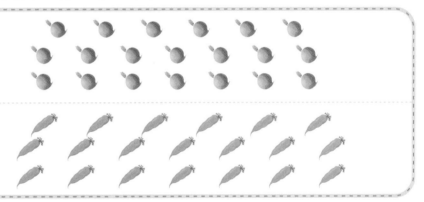

19 − 3

17 − 5

小牛想送白菜给小兔，按照算式得数是 12 的路线走就可以到小兔家，试试吧！

20以内的退位减法

根据得数,圈出相应数量的图案。

18 - 9	🥤 🥤 🥤 🥤 🥤 🥤 🥤 🥤 🥤 🥤
14 - 8	👑 👑 👑 👑 👑 👑 👑 👑 👑 👑
16 - 7	👒 👒 👒 👒 👒 👒 👒 👒 👒 👒
13 - 6	🚗 🚗 🚗 🚗 🚗 🚗 🚗 🚗 🚗 🚗

快来算一算,小动物们都住在哪个房间里。

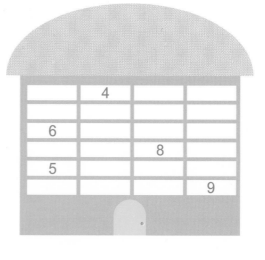

15 - 9:第__4__层,第__1__间

16 - 8:第_____层,第_____间

12 - 7:第_____层,第_____间

17 - 8:第_____层,第_____间

13 - 9:第_____层,第_____间

		4	
6			
		8	
5			
			9

看图列式并计算。

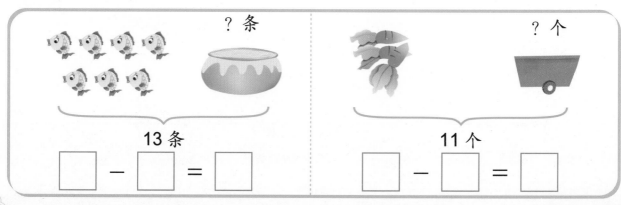

? 条

13 条

[ ] - [ ] = [ ]

? 个

11 个

[ ] - [ ] = [ ]

在（ ）里填上正确的数字。

分解练习。

差是 8	差是 6
15 －（ ）	12 －（ ）
16 －（ ）	13 －（ ）
14 －（ ）	11 －（ ）
17 －（ ）	10 －（ ）

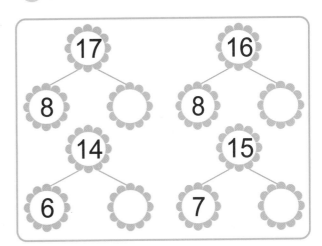

把数字填写在 ☐ 里，并在 ☐ 内画上相应数量的圆点。

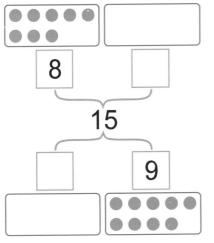
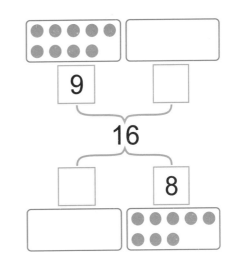

填一填。

15　14　13　12　11

－ 6 ＝

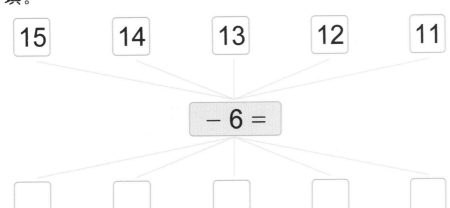

20 以内的连加

🌼 在 ▢ 中填上正确的数字。

| $5 + 5 + 8 =$ ▢ | $4 + 6 + 6 =$ ▢ | $5 + 8 + 5 =$ ▢ |

🌼 在 ◯ 中填上正确的数字。

$1 \xrightarrow{+2} ◯ \xrightarrow{+2} ◯ \xrightarrow{+2} ◯ \xrightarrow{+2} ◯$

$5 \xrightarrow{+2} ◯ \xrightarrow{+3} ◯ \xrightarrow{+4} ◯ \xrightarrow{+3} ◯$

🌼 看图列式并计算。

▢ ◯ ▢ ◯ ▢ = ▢   ▢ ◯ ▢ ◯ ▢ = ▢

▢ ◯ ▢ ◯ ▢ = ▢   ▢ ◯ ▢ ◯ ▢ = ▢

🌼 在◯里填">""<"或"="。

3 + 4 + 6 ◯ 13   14 ◯ 8 + 2 + 1

9 ◯ 4 + 5 + 6   3 + 2 + 4 ◯ 19

4 + 8 + 4 ◯ 10   18 ◯ 7 + 5 + 4

🌼 算一算，在正确的得数上画"✓"。

$8 + 2 + 4 = \begin{cases} 14 \\ 16 \\ 17 \end{cases}$ $3 + 6 + 7 = \begin{cases} 14 \\ 15 \\ 16 \end{cases}$ $11 + 3 + 4 = \begin{cases} 18 \\ 19 \\ 10 \end{cases}$

🌼 把得数是单数的算式圈出来。

7 + 3 + 4   6 + 4 + 2   9 + 9 + 1   8 + 7 + 3

5 + 1 + 5   5 + 8 + 2   8 + 8 + 2   8 + 1 + 7

🌼 在◯中填上正确的数字，使每条直线上三个数的和都等于中间的数。

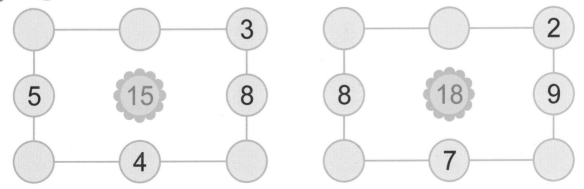

20 以内的连减

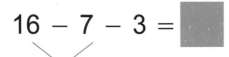 填一填。

$18 - 10 - 2 = \boxed{}$

$18 - 8 - 5 = \boxed{}$

$16 - 7 - 3 = \boxed{}$

$12 - 7 - 2 = \boxed{}$

填一填。

$17 - 1 - \bigcirc = 12$

$20 - 10 - \bigcirc = 5$

$19 - 7 - \bigcirc = 2$

$11 - 2 - \bigcirc = 6$

$18 - \bigcirc - 5 = 10$

$15 - \bigcirc - 8 = 0$

$13 - \bigcirc - 6 = 3$

$17 - \bigcirc - 8 = 5$

算一算,填一填。

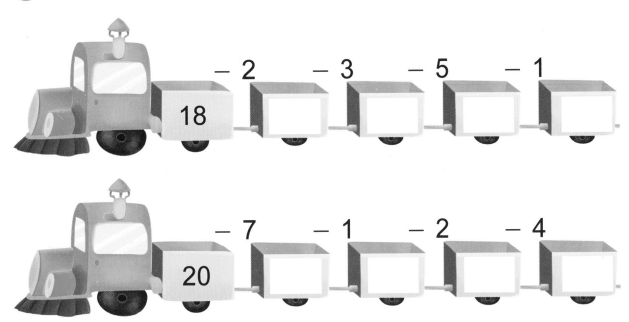

-2 -3 -5 -1

18

-7 -1 -2 -4

20

解决问题。

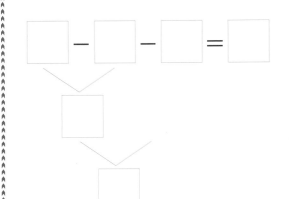

小熊家里有 18 个玉米,第一天吃了 5 个,第二天吃了 4 个,还剩多少个玉米?

$$\boxed{} - \boxed{} - \boxed{} = \boxed{}$$

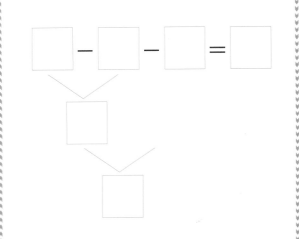

鸡妈妈捉了 15 条虫,给了鸡姐姐 5 条,又给了鸡妹妹 6 条,还剩下多少条虫?

$$\boxed{} - \boxed{} - \boxed{} = \boxed{}$$

20以内的加减混合运算

🐰 看谁算得又快又准。

16 − 4 + 3 = ☐   13 + 6 − 4 = ☐   15 − 3 + 4 = ☐

18 − 6 + 1 = ☐   15 − 1 + 3 = ☐   12 + 3 − 6 = ☐

11 + 3 − 5 = ☐   19 − 5 + 3 = ☐   13 + 5 − 1 = ☐

🐰 看数轴回答问题。

15   16   17   18   19   20

①16 和 19 中间的数是(   )。

②15 和 20 中间共有(   )个数。

③和 17 相邻的两个数分别是(   )和(   )。

🐰 小熊和小狗参加过河比赛。小朋友,看看它们谁最先走到对岸去,算一算吧!

🐰 小鸭正在找妈妈,可妈妈只让得数是 8 的宝宝回家,快帮帮小鸭们吧!

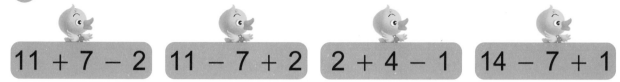

| 11 + 7 − 2 | 11 − 7 + 2 | 2 + 4 − 1 | 14 − 7 + 1 |

8

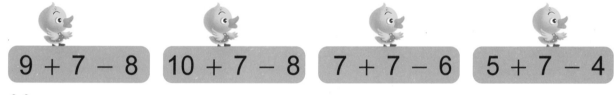

| 9 + 7 − 8 | 10 + 7 − 8 | 7 + 7 − 6 | 5 + 7 − 4 |

🐰 按顺序依次写出得数。

15 —+2→ ◯ —−6→ ◯ —+8→ ◯ —−7→ ◯

🐰 填空。

①与 17 相邻的两个数是_____和_____。

②个位是 6,十位是 1,这个数是_____。

③16 的个位是_____,十位是_____。

④比 5 小 4 和大 6 的数分别是_____和_____。

20以内的综合练习

🐻 按照排列规律，在空白处填上正确的数字。

3		9	12	15
19	15	11		3
8	6		2	0

🐻 按要求分类。

| 12 | 16 | 4 | 17 | 19 | 比 3 大比 9 小的数 | 比 11 大比 20 小的数 |
| 5 | 15 | 18 | 13 | 14 | 6 | | |

🐻 连一连。

| 6 + 9 | 18 − 9 | 9 + 2 | 12 − 6 |

| 9 | 15 | 6 | 11 |

| 6 + 5 | 7 + 8 | 11 − 2 | 14 − 8 |

🐻按要求写数字。

①写出 10 以内比 3 大的双数。

----

②写出 10 以内的单数。

----

③写出比 10 大比 20 小的单数。

----

④写出比 10 大比 20 小的双数。

🐻在( )里填上正确的数字。

差是 7

12 −( )
16 −( )
13 −( )
11 −( )

和是 14

7 +( )
5 +( )
6 +( )
8 +( )

🐻在 ◯ 里填">""<"或"="。

14 − 7 ◯ 15 − 6   9 + 3 ◯ 18 − 9

6 + 4 ◯ 2 + 8   16 − 8 ◯ 18 − 9

连一连。

 9　　 11　　 7　　 6

 18 − 9　　 15 − 8　　 13 − 7　　8 + 3

请用这四个数字完成下列算式。

| 4 | 6 | 7 | 3 |

10 −　　　　　　　 = 10　　10 −　　　　　　　 = 10

10 −　　　　　　　 = 10　　10 −　　　　　　　 = 10

比一比，看谁算得又快又准。

13 − 9 − 4 = ☐	13 − 6 − 4 = ☐
9 + 4 − 5 = ☐	8 + 4 − 7 = ☐
12 − 6 + 8 = ☐	12 − 4 + 8 = ☐
8 + 7 − 9 = ☐	8 − 7 + 9 = ☐

学前数学

🐻 把差为 7 的两个数用线连起来。

🐻 把得数大于 7 的苹果涂成红色,小于 7 的苹果涂成绿色。

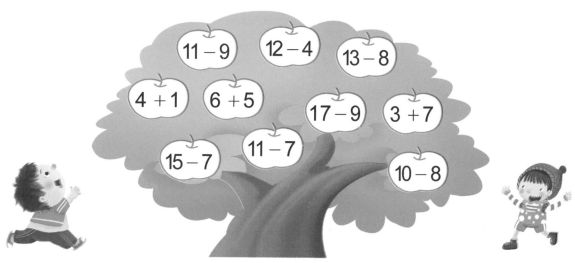

🐻 在⬭中填上"+"或"−",使算式成立。

15 ◯ 2 ◯ 9 = 8

13 ◯ 4 ◯ 8 = 9

14 ◯ 6 ◯ 3 = 5

10 ◯ 2 ◯ 6 = 14

16 ◯ 2 ◯ 8 = 10

17 ◯ 4 ◯ 2 = 15

117

看图做题。

① 🍎 和 🥭 一共有多少个？

□ ○ □ = □ （个）

② 🍦 、🍎 和 🥭 一共有多少个？

□ ○ □ ○ □ = □ （个）

③ 🍎 比 🥭 多多少个？

□ ○ □ = □ （个）

解决问题。

动物园里有 10 只 🐛，又送来 4 只，现在动物园里一共有多少只 🐛？

□ ○ □ = □ （只）

商场里有 16 台 🌀，卖掉了 6 台，还剩多少台 🌀？

□ ○ □ = □ （台）

飞机场有 11 架 ✈，飞走了 4 架，现在还剩多少架 ✈？

□ ○ □ = □ （架）

小红摘了 13 串 🍇，加上小兰摘的一共是 19 串，小兰摘了多少串 🍇？

□ ○ □ = □ （串）

找规律

找 规 律

找规律，画图案。

你知道 ⬜ 里应该怎么画吗？画一画。

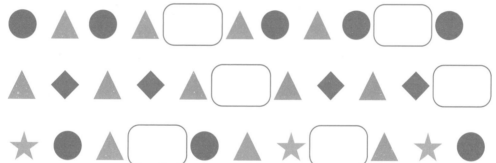

请找出下图中的数量规律，然后接着往下画。

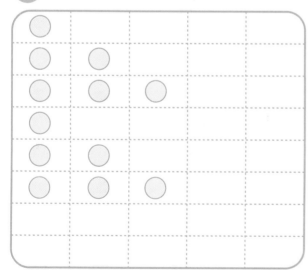

119

根据图片的排列规律,圈出每行中排错的图片。

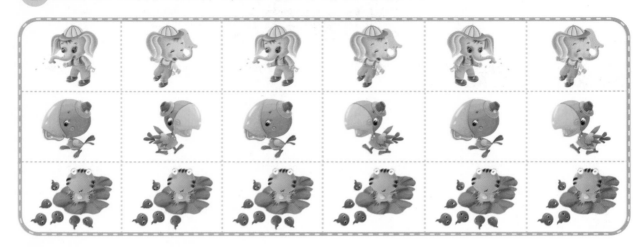

根据图形的排列规律接着画。

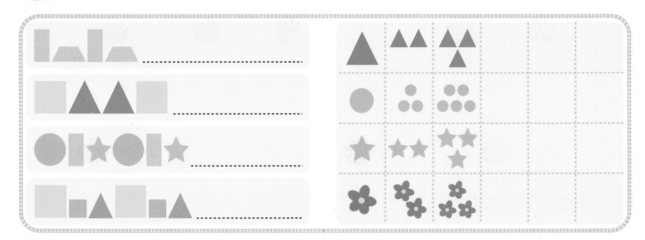

请按青蛙的生长过程标上序号。

( ) ( ) ( ) ( )

100 以内的数

认识 100 以内的数

把正确的数字填在（ ）里。

1 组 = 10 条

（ ）条　　（ ）条　　（ ）条

（ ）条　　（ ）条

（ ）条　　（ ）条

（ ）条　　（ ）条

按顺序填空。

		22		25			29	
24								
					31		33	

看图写数。

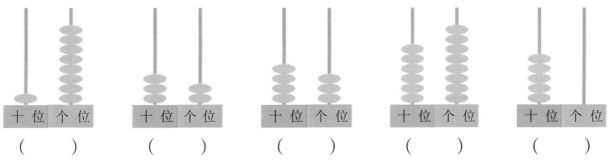

十位 个位　　十位 个位　　十位 个位　　十位 个位　　十位 个位

（ ）　　（ ）　　（ ）　　（ ）　　（ ）

🐯 看图填空。

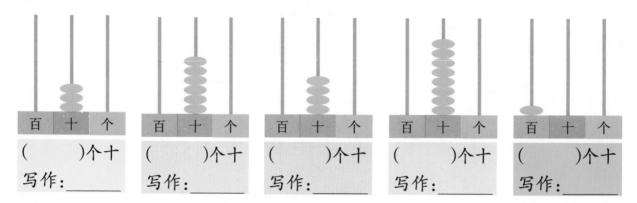

| ( )个十 | ( )个十 | ( )个十 | ( )个十 | ( )个十 |
| 写作:____ | 写作:____ | 写作:____ | 写作:____ | 写作:____ |

🐯 填空。

①十位上是5,个位上是2,这个数是( )。

②十位上是6,个位上是3,这个数是( )。

③百位上是1,十位和个位上都是0,这个数是( )。

④一个数从右边起,第一位是( )位,第二位是( )位,第三位是( )位。

🐯 读出下面的数,并按要求填在横线上。

一位数 ....

两位数 ....

比50小的数 ....

比50大的数 ....

整十数加减整十数

写出下列各数。

二十 _____ 七十 _____

八十 _____ 九十 _____

五十 _____ 六十 _____

三十 _____ 四十 _____

填空。

① 5 个十相加是(_____)。

② 6 个十和 2 个十相加所得的数字是(_____)。

③ 7 个十和 3 个十相加所得的数字是(_____)。

填一填。

| 30 + 40 = | 50 - 50 = | 70 + 30 = | 60 - 20 = |

| 10 + 50 = | 80 - 10 = | 80 + 10 = | 20 - 10 = |

算一算,连一连。

| 60 - 30 | 70 - 20 | 90 - 50 | 50 - 30 |

| 50 | 40 | 30 | 20 |

| 10 + 30 | 10 + 10 | 20 + 10 | 20 + 30 |

在 ☐ 里填上正确的数字。

$30 + \boxed{} = 50$	$50 + \boxed{} = 60$	$20 + \boxed{} = 90$
$50 - \boxed{} = 40$	$80 - \boxed{} = 50$	$50 - \boxed{} = 10$

根据算式填空。

$20 + 30 = ($　　$)$　　$($　　$)$个十加$($　　$)$个十是$($　　$)$个十。

$70 - 20 = ($　　$)$　　$($　　$)$个十减$($　　$)$个十是$($　　$)$个十。

$40 + 20 = ($　　$)$　　$($　　$)$个十加$($　　$)$个十是$($　　$)$个十。

在 ○ 里写出正确的数字。

30 连续加 10：

(30) ── ○ ── ○ ── ○ ── ○ ── ○

50 连续加 10：

(50) ── ○ ── ○ ── ○ ── ○ ── ○

100 以内的加法

🐶 在 ▢ 里填写正确的数字。

15 + ▢ = 40　　　　▢ + 22 = 78

31 + ▢ = 65　　　　15 + ▢ = 70

20 + ▢ = 77　　　　17 + ▢ = 87

12 + ▢ = 45　　　　33 + ▢ = 92

🐶 用所给的数字写等式。

26　　　▢ + ▢ = ▢　　　▢ + ▢ = ▢
28
54

38　　　▢ + ▢ = ▢　　　▢ + ▢ = ▢
44
82

🐶 在 ◯ 中填上 ">" "<" 或 "="。

40 + 1 ◯ 21 + 3

25 + 4 ◯ 21 + 5

17 + 53 ◯ 51 + 23

28 + 24 ◯ 39 + 13

🐶 在 ☐ 里填上正确的数字,然后完成算式。

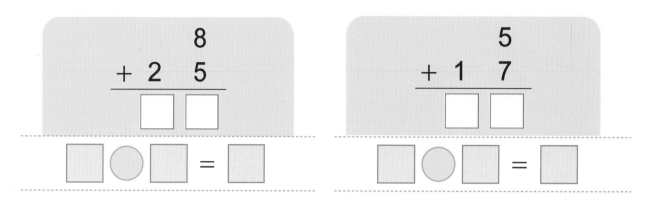

$$8 + 2\ 5$$

☐☐

☐ ○ ☐ = ☐

$$5 + 1\ 7$$

☐☐

☐ ○ ☐ = ☐

🐶 写算式。

请用 3、28、25 写出两个加法算式。

☐ + ☐ = ☐

☐ + ☐ = ☐

🐶 每个苹果旁都有一个算式,快来算一算,把它们和相应的筐子连起来。

30 + 30

45 + 25

12 + 58

60

70

11 + 49

33 + 27

26 + 34

100 以内的减法

🐨 在 [ ] 里填上正确的数字。

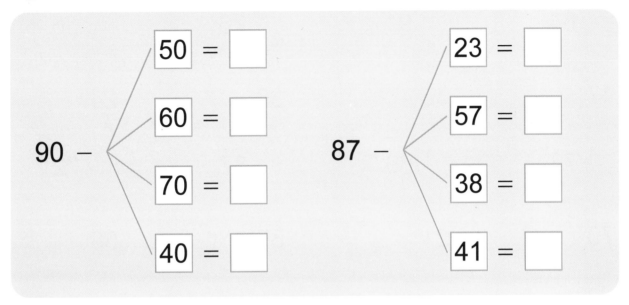

$$90 - \begin{cases} 50 = \square \\ 60 = \square \\ 70 = \square \\ 40 = \square \end{cases}$$

$$87 - \begin{cases} 23 = \square \\ 57 = \square \\ 38 = \square \\ 41 = \square \end{cases}$$

🐨 算一算,根据得数把相应数量的图形涂上颜色。

18 − 12	
26 − 18	
36 − 27	

🐨 在空格里填上合适的数字。

被减数	96	78	64	82	92	73	89	69	88
减数	35		51	37		52			15
差		42			37		64	32	

在 ⬭ 里填写正确的数字。

84	91	76	56
47 ⬤	35 ⬤	39 ⬤	24 ⬤

73	69	87	72
70 ⬤	21 ⬤	65 ⬤	58 ⬤

在 ☐ 中填入正确的得数。

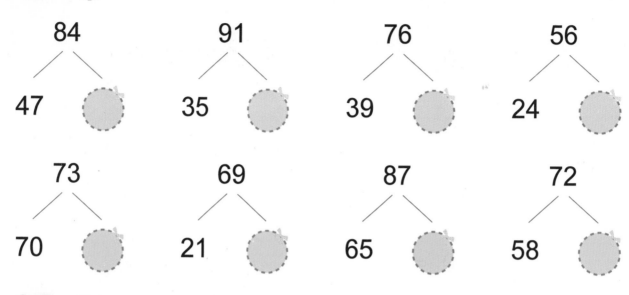

在 ◯ 里填上正确的数字。

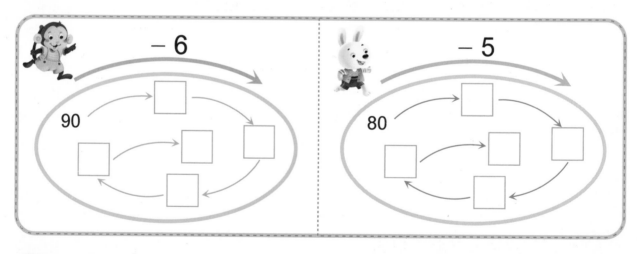

49　−7　−7　−7　−7　−7

64　−8　−8　−8　−8　−8

100 以内的应用题

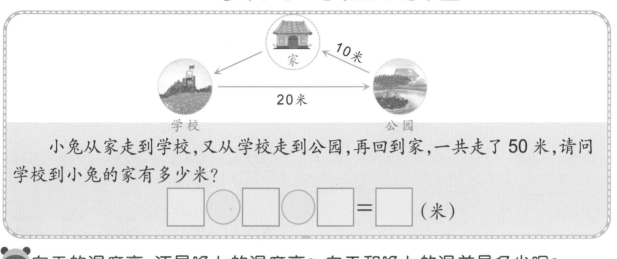

小兔从家走到学校,又从学校走到公园,再回到家,一共走了 50 米,请问学校到小兔的家有多少米?

□ ○ □ ○ □ = □（米）

白天的温度高,还是晚上的温度高？白天和晚上的温差是多少呢？

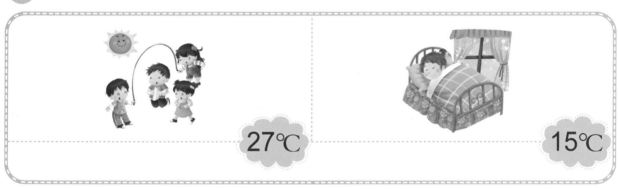

27℃　　　15℃

□ ○ □ = □

算一算。

我运的苹果比 3 号车少得多。

我运了 62 筐苹果。

我运的苹果比 2 号车多得多。

1 号车可能运多少筐？（画"√"）

3 号车可能运多少筐？（画"○"）

28	59	67	100

100 以内的综合练习

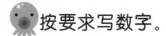 按要求写数字。

| 11 | 17 | 18 | 29 | 88 | 69 |
| 54 | 33 | 16 | 85 | 24 | 70 |

单数：_____

双数：_____

给下列算式圈出正确的得数。

24 + 8 = 27 24 32

22 + 7 = 21 29 28

30 + 5 = 35 32 20

 填空。

从左向右，从上到下，方格中第三行第 5 格是（　　），这个图形上面有（　　）个格，下面有（　　）个格。"✚"在第（　　）行第（　　）格。

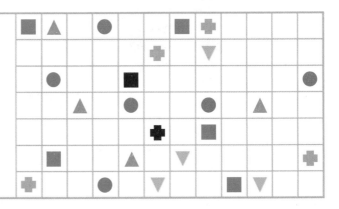

 按要求填空。

① 写出比 23 大，比 33 小的 5 个双数_____。

② 写出比 15 小，比 6 大的 4 个单数_____。

③ 在 1 ～ 9 中，单数有_____个，双数有_____个。

字前数学

 看图回答问题。

吃掉(　　　　)个苹果和(　　　　)个梨,三种水果的数量才一样多。

加上(　　　　)个苹果和(　　　　)个桃子,三种水果的数量才一样多。

 看图回答问题。

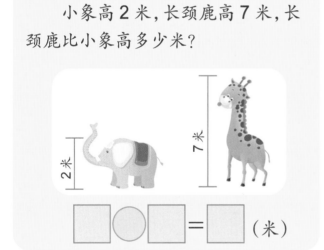

小象高2米,长颈鹿高7米,长颈鹿比小象高多少米?

| | 〇 | | = | (米) |

吃了14颗草莓, 吃了9颗, 比 多吃了几颗草莓?

| | 〇 | | = | (颗) |

 12个小球排成一排,从左向右数红色小球排在第3位,从右向左数蓝色小球排在第4位,红色小球和蓝色小球之间有几个小球? 请你动手画一画。

认识钟表

钟表能告诉我们时间，你知道钟表上有哪些数字吗？写一写吧！

钟表上有(   )这几个数字。

钟表有三根指针，你知道它们的名字吗？请连一连。

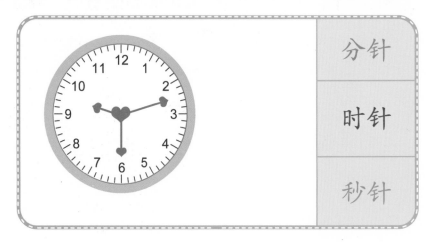

分针

时针

秒针

钟表有很多种，你认识它们吗？请连一连。

电子表   挂钟   闹钟   腕表

认识整点

 连一连。

请你根据时间在表盘上画出时针和分针。

5:00

8:00

6:00

11:00

小朋友，你早上几点起床，晚上几点睡觉呢？请在表盘上画出来吧！

 填空。

兔妈妈下午5点去接小兔，现在是____点，兔妈妈再过____小时出去。

认识半点

🐑 看图学一学。

🐑 把表示的时间还差半个小时的两个钟表连起来。

半点时，时针指在两个数之间，分针指向 6。如图中的时间就是 1:30。

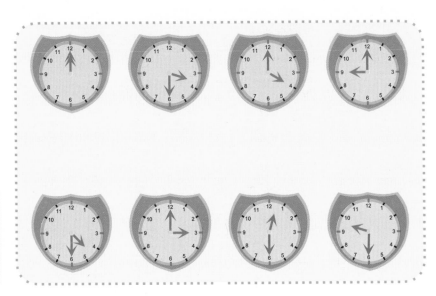

🐑 在表盘上画出相应的时间。

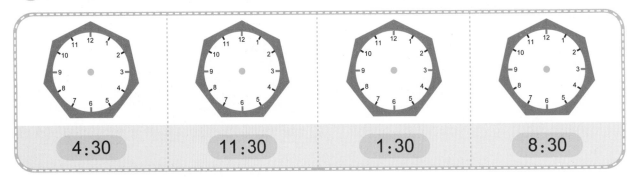

| 4:30 | 11:30 | 1:30 | 8:30 |

🐑 给时间是 3:30 的闹钟画"√"。

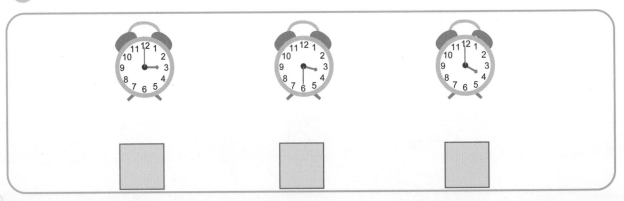

认识时间的综合练习

看下图分析蜜蜂和蝴蝶谁飞得快？在飞得快的小动物前面的 ◯ 里画"✓"。

小象正要出门，它可以乘坐哪辆车？请在对应的（　）内画"✓"。

1:00（　　）

1:30（　　）

3:30（　　）

把上午的时间按照从早到晚排列。

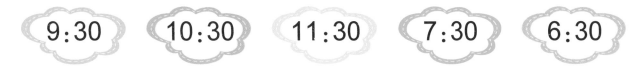

9:30　　10:30　　11:30　　7:30　　6:30

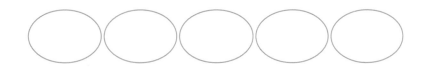

🐷 请在 ☐ 内写出下列钟表所表示的时间。

🐷 连一连。

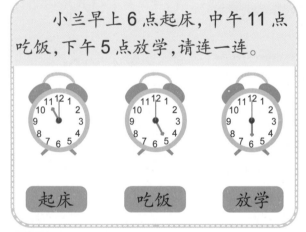

小兰早上6点起床,中午11点吃饭,下午5点放学,请连一连。

起床   吃饭   放学

🐷 给下面的钟表画上指针。

6:30

7:30

🐷 小芸从家到学校步行需要半个小时,从学校到奶奶家步行需要一个小时,如果小芸7点从家出发,几点到学校,几点到奶奶家?请画一画。

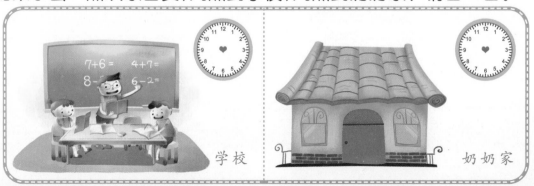

学校   奶奶家

统计

简单的统计

🌻 这是小牛和小猴本周做题的数量统计表。

	星期一	星期二	星期三	星期四	星期五
🐂	6 道	7 道	4 道	5 道	7 道
🐵	4 道	10 道	9 道	6 道	5 道

🐂一共做了_____道题，🐵一共做了_____道题。

🐂星期____做的题最少，🐵星期____做的题最多。

🌻 数一数，填一填。

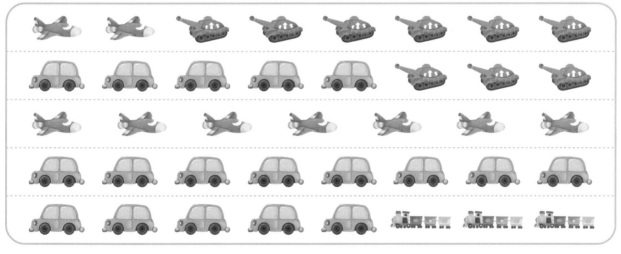

①数量最多的是_____，有_____辆。

②数量最少的是_____，有_____辆。

③_____和_____的数量一样多。

④最多的和最少的相差_____个。

⑤一共有_____种交通工具。

137

数一数,每种蔬菜各有多少?

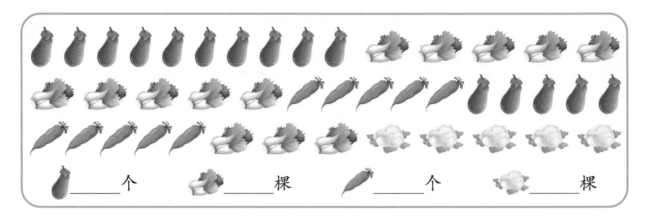

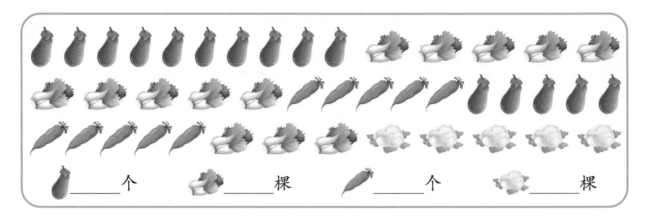_____个　　_____棵　　_____个　　_____棵

根据上图,请你在蔬菜旁画出对应数量的"○"。

请你制作一张作息时间表。

7:00	起床
	吃早饭
	上学

	吃午饭
	放学

入学测试

入学模拟测试（一）

🐵 数一数，填一填。

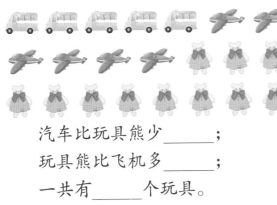

汽车比玩具熊少_____；

玩具熊比飞机多_____；

一共有_____个玩具。

🐵 按要求画一画。

△有 5 个

○比△多 3 个

☆比○少 2 个

□和☆一样多

🐵 下面是妮妮上午的作息时间表，请给时钟画上时针和分针。

 7:00 起床	 7:30 吃早饭	 8:00 上课	 11:00 放学

🐵 填空。

图中一共有( )个小朋友，( )个男孩，( )个女孩，

男孩比女孩少( )个，女孩比男孩多( )个。

填空。

29 的个位是(　　),十位是(　　);

50 里有(　　)个十;

66 里有(　　)个十和(　　)个一;

个位是 6,十位是 5 的数是(　　)。

把每组右边的图中与左边同类的圈出来。

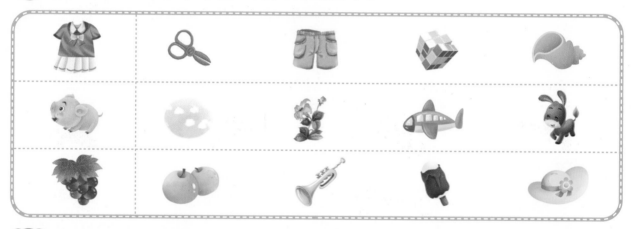

兔妈妈要去采蘑菇,但要选择算式得数是双数的路口走,才能采到蘑菇。小朋友,请先算一算,再画出兔妈妈行走的路线吧!

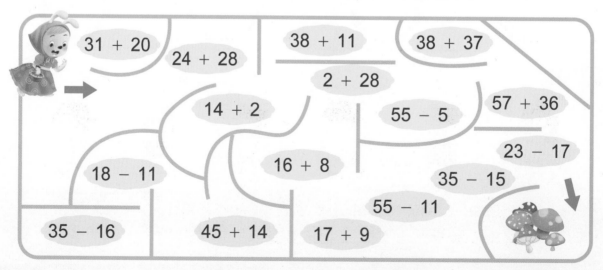

入学模拟测试（二）

🐻 一个羊圈能住五只小羊，那么要把这些羊赶进去需要多少个羊圈呢？用笔圈圈看。

🐻 填空。

 早晨 7：00，妈妈去上班，她要坐 25 分钟的车才能到单位，妈妈到单位时是＿＿点＿＿分。

 早晨 7:30，小军乘车去外婆家，他 9:30 到达外婆家，小军在路上用了＿＿个小时。

 小敏每天从 6:30 开始晨读，7:00 晨读结束，她每天晨读＿＿分钟。

 爸爸上午 8：00 上班，下午 5：00 下班，爸爸工作了＿＿个小时。

🐻 找出规律，画一画。

圈出每组中不同类的事物。

数一数,填一填。

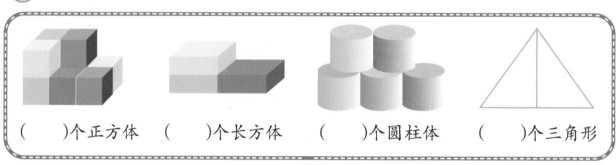

( )个正方体　　( )个长方体　　( )个圆柱体　　( )个三角形

看图填空。

天气统计表

星期日	星期一	星期二	星期三	星期四	星期五	星期六
			1	2	3	4
5	6	7	8	9	10	11
12	13	14	15	16	17	18
19	20	21	22	23	24	25
26	27	28	29	30	31	

①这个月晴天有( )天。

②这个月下了( )天雨。

③这个月有( )个星期日,星期日有( )天是晴天。

④这个月有( )天多云,( )天阴天,多云的天数比阴天少( )天。

142

入学模拟测试（三）

学前数学

按要求画棋子。

①在第3行，第5格画一颗红棋子。
②黑棋子向右走3格，再向下走1格，到哪里了？在那里画上一颗黄棋子。
③蓝棋子向左走2格，再向下走三格，到哪里了？在那里画上一颗绿棋子。

将下列数字按从小到大的顺序排列。

47   36   20   75

58   60   82

90   15   46

在 [ ] 里填上正确的数字。

| 20 + [ ] = 52 | [ ] − 25 = 30 | 30 − [ ] = 10 |
| 32 − [ ] = 18 | 20 + [ ] = 50 | 40 + [ ] = 60 |

在 □ 里填上合适的数。

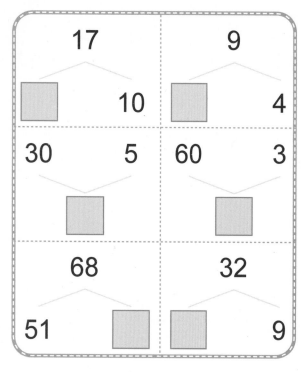

找规律,画一画,填一填。

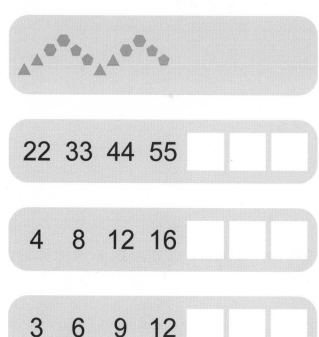

| 22 | 33 | 44 | 55 | | | |

| 4 | 8 | 12 | 16 | | | |

| 3 | 6 | 9 | 12 | | | |

应用题。

小华有36颗糖果,送给宁宁12颗,小华还剩多少颗糖果?

_____

答:小华还剩_____颗糖果。

小桐有20本故事书,小雪比小桐多9本,小雪有多少本故事书?

_____

答:小雪有_____本故事书。

岸上有4只鸭子,河里有10只,请问一共有多少只鸭子?

_____

答:一共有_____只鸭子。

花园里上午开了13朵花,下午又开了15朵,可是有6朵花谢了,现在花园里有多少朵花?

_____

答:现在花园里有_____朵花。